UN CRI DANS LE SILENCE

BRIGITTE BARDOT

UN CRI
DANS LE SILENCE

ÉDITIONS DU
ROCHER
Jean-Paul Bertrand

Je dédie ce livre à tous ceux qui aiment, respectent et protègent les animaux dans l'ombre ou la lumière.

ISBN 2 268 04725 3

Tant que les hommes massacreront les bêtes, ils s'entretueront
Celui qui sème le meurtre et la douleur ne peut, en effet, récolter la joie et l'amour

PYTHAGORE
(570-480 avant J.-C.)

On ne voit bien qu'avec le cœur
l'essentiel est invisible pour les yeux

Antoine de SAINT-EXUPÉRY
(1900-1944)

Avant-Propos

Lorsque j'ai fini d'écrire ce livre, qui n'a rien de choquant mais qui risque de mettre mal à l'aise ceux qui, dans la mouvance actuelle, n'osent pas dire un mot plus haut que l'autre, la guerre en Irak n'avait pas encore commencé. Il me semble important d'en parler, même si encore mes propos risquent de heurter...

Il n'y a pas de guerre propre, ni de bombes intelligentes, la guerre n'engendre que destructions, souffrances, ruines, morts !

C'est pourquoi je trouve inadmissible qu'après les trop nombreuses guerres qui ont endeuillé le monde en faisant des millions de morts, des chefs d'États puissants, inconscients et cupides, puissent donner ordre d'anéantir un pays quel qu'il soit !

C'est une question de morale, d'éthique, d'humanité.

«À vaincre sans péril, on triomphe sans gloire.»

Je ne porte pas les religieux musulmans en grande estime (vous le verrez en lisant ce livre), mais en l'état actuel des choses, c'est vers leur population civile, atrocement mutilée, éprouvée, blessée, que se tourne ma compassion. Je pense aussi avec émotion et tristesse aux soldats britanniques et aux G.I. américains, qui laisseront leurs vies dans des combats lamentables. Je pense à leurs familles, à tout ce peuple tellement éprouvé après les terrifiantes apocalypses du 11 septembre 2001, qui n'ont vraiment pas besoin de deuils et de détresses supplémentaires.

Pour une fois, je suis fière de la position inébranlable de la France, qui, avec Jacques Chirac et Dominique de Villepin, n'a cédé à aucun chantage, n'a plié devant aucune menace.

Les Américains gagneront la guerre, mais le monde perdra la paix.

Comme l'a dit Prévert: «Quelle connerie la guerre!»

1

« Trou du cul, putain, merde, nom de Dieu, piège à cons, saloperie, bordel », l'une de mes célèbres répliques, face à Michel Piccoli dans le film *Le Mépris* de Godard, avait en 1963 choqué les spectateurs de l'époque. Mais quarante ans plus tard... « sexe, con, bite, suce, encule, baise, couilles » sont devenus les mots les plus « tendance » de notre société !

On s'éclabousse de ce sperme verbal, on nage dans les partouzes et les piquouses, on est accro de fellations, de cunnilingus, mais on est en manque de cet amour, de ce romantisme, de ce mystère, de cet érotisme subliminal qui, submergé par une pornographie galopante et un exhibitionnisme racoleur, porte aux nues les plus grandes putasses de ce nouveau siècle décadent. Les hommes politiques, les starlettes en mal de publicité, les stars du porno, les rigolos, les plus tristes de nos journalistes, les comédiens, les musiciens, les chanteurs se soumettent aux questions les plus perverses du plus pervers de nos animateurs TV !

«Sucer, c'est tromper...?»

Et on répond avec plus ou moins d'insolence ou de gêne!

Ousqu'y a de la gêne, y'a pas de plaisir!

Et allons-y les pédophiles à l'honneur, puisqu'ils sont innocents en France, mais vont faire leurs saloperies en Asie, ramènent des enfants qu'ils adoptent au nez et à la barbe de certains de ces jean-foutre du gouvernement qui n'y voient que du bleu!

Nous avons tous connu, du moins je l'espère pour vous, l'attrait de la séduction, le plaisir des jeux érotiques, le secret des alcôves, ou la douceur de l'amour au soleil, mais ces délices ne le furent que par le mystère du fantasme que nous leur accordions, les sens repus mais trop souvent le cœur non assouvi. Nous n'en faisions pas étalage. Cette toute nouvelle liberté nous éblouissait secrètement et c'était là toute sa force, sa puissance, sa pureté.

Oui, l'amour est pur!

Même si dans les années 50, Magali Noël chantait d'une manière polissonne, mais un peu scandaleuse «Fais-moi mal Johnny, Johnny, fais-moi mal, envoie-moi au ciel!», et qu'à mon tour «Je vous invitais à l'indécence dans un tango presqu'argentin» dans *L'Invitango* de l'un de mes 33 tours des années 60!

Tout ça pour allécher les curieux qui liront les premières pages de ce livre, pensant, en se léchant les babines, que j'allais, à mon tour, écrire un «best-cul», «sex-symbol» oblige!

Mais non, allez donc vous repaître au rayon porno, je ne faisais qu'un bilan bien triste de ce que nous subissons quotidiennement, médiatiquement, éditorialement parlant !

Même le plus anodin des films policiers nous oblige maintenant à nous farcir pendant un quart d'heure, un Kama-sutra dont on se passerait volontiers, un entremêlement, un entortillonage de cuisses, de nichons et de fesses, ponctués de soupirs d'extase pendant que l'assassin, ne perdant pas son temps à de pareilles gaudrioles, continue d'immoler ses victimes. On aura bien compris, à part le dernier des cons, qu'un policier peut néanmoins être un sex-symbol au même titre que Rocco Siffredi !

Mais à chacun son métier et les films seront bien regardés !

Quel bizarre nouvel envoûtement pour tout ce déballage de chair ! Les étals de boucherie ressemblant de plus en plus aux plages de Saint-Tropez au mois d'août. Il y en a de toutes les couleurs, du rose sanguinolent au brun bien saisi, de toutes les formes, de la saucisse de Morteau la plus prisée, à la petite cocktail si discrète, mais plus travailleuse qu'une grande fainéante si l'on se fie au proverbe...

C'est à en devenir végétarien !

Tout ça n'est rien à côté de l'ignoble zoophilie, toujours plus ou moins autorisée, mais en vente dans tous les sex-shops et qui dépasse de loin ce qu'on peut imaginer de plus perverti, de plus dégueulasse dans les obscurs méandres des abjects fantasmes humains : la pornographie avec des animaux ! Les ânes, les chiens, danois et dobermans de préférence, mais aussi les chèvres, les oies, les poules, les lapins, étouffés, perforés, à l'agonie, donnant leurs derniers souffles pour d'ultimes spasmes !

Ils sont connus ceux qui se livrent à une pareille exploitation de l'animal, victime de la dépravation, mais ils semblent protégés...

J'ai été voir Monsieur T., lorsqu'il était ministre, je lui ai montré une cassette ; il était révolté, m'a juré sur son honneur qu'il s'en occuperait lui-même dans les plus brefs délais !

Rien n'a été fait !

De toute manière, Monsieur T. et son honneur sont aux oubliettes, mais les zoophiles continuent leur commerce sacrilège.

Les Hindous ont leurs intouchables, nous avons nos incapables !

II

Son regard, un peu triste et vaguement absent, était fixé sur l'embrasement somptueux du soleil se couchant sur la mer, spectacle dont elle ne se lassait pas malgré son incessant renouvellement, jour après jour, année après année, depuis déjà quatre décennies !

C'était sa manière à elle de se purifier, de noyer dans cette incandescence sublime, les images de douleur qui ne cessaient de la hanter. Machinalement, elle laissait se consumer une cigarette dont la fumée l'entourait de ses volutes bleues. À ses pieds, ses chiens, entremêlés de quelques chats, donnaient à cette fin d'été une atmosphère de sérénité dont elle se sentait lointaine, ses yeux suivant le vol des mouettes affairées à récupérer les déchets éparpillés tout au long de cette longue journée par des touristes peu scrupuleux de la pollution.

Comme toujours dans ces fugitifs moments de nostalgie où le ciel lance ses derniers éclats avant de s'envelopper de nuit, elle repensait à toute cette vie qui fut la sienne, à ce passé lourd, rempli de positif et de négatif, qui l'avait hissée au plus haut pour mieux l'entraîner parfois dans des abîmes sans fond. Toutes ces années vécues s'entassaient, tapies, prêtes à resurgir, pesants boulets qu'elle semblait traîner avec indifférence, détachée au point qu'elle avait parfois l'impression d'être sa propre réincarnation, tant sa renaissance lui paraissait être la seule et unique importance de son parcours.

C'était il y a trente ans déjà qu'elle avait tiré un trait définitif sur ce qui l'avait faite «star», pour donner sa disponibilité à ceux qu'elle considérait avec un amour total comme les plus démunis, les plus oubliés, les plus méprisés de tous sur la planète : les animaux !

Elle assurait dorénavant, avec courage mais envahie par une certaine lassitude, la douloureuse responsabilité de son choix.

Un peu plus loin, le bruit d'un râteau la ramena doucement à la réalité. Son compagnon trouvait un apaisement à ratisser avec minutie ce gravier gorgé d'une poussière d'été accumulée qui prenait à la gorge en s'éparpillant tel un incendie minuscule, maculant un peu plus les feuilles desséchées des plantes assoiffées. Il l'avait sauvée de la solitude qui entamait, jour après jour, sa résistance à vivre. Depuis dix ans, il partageait avec elle un meilleur fragile et un pire trop présent.

Il était sa survie et elle lui en était reconnaissante.

3

Gai, gai, marions-nous !

Terminados bouclarès !

Cet adjectif joyeux étant désormais réservé à une pratique vieille comme le monde qui a toujours fait partie des us et des mœurs sans en faire tout un plat, sans devenir les caricatures d'un goût douteux qui se ridiculisent en exhibitionnisme décadent, revendiquant leurs droits, manifestant leur prédominance, copiant avec la plus grande insolence et jusqu'au dégoût ce que les femmes peuvent avoir de pire !

Mais qu'est-ce que c'est que tout ce bordel ?

Pourtant la plupart de mes amis, de mes vrais amis, sont des homosexuels et je les adore, mais ils gardent une dignité, ne se répandent pas en se trémoussant le derrière, le petit doigt en l'air avec des petites voix de châtrés, sur les méfaits que leur font subir ces dégénérés d'hétéros !

À croire que nous sommes anormaux !

Cette déferlante envahissante s'est subitement étendue avec pertes et fracas sur le monde. Se considérant comme brimés par une société qui les rejetait, ils se sont regroupés en castes, réquisitionnant les bars, les restaurants, les boîtes de nuit et même certains quartiers qui leur sont exclusivement réservés.

Et gare à tes miches si tu tentes d'y entrer !

À propos de miches, qui de plus charmant que notre Michou national, qui depuis des années tient un cabaret que le Tout-Paris adore et qui a toujours été un modèle d'élégance ? Du reste, maman et papa étaient très copains avec lui, il faudra un jour que j'aille lui dire que je l'aime beaucoup et que je voie enfin la grosse blonde qui me parodie en chantant *La Madrague*.

Certains homosexuels ont toujours eu un goût et un talent plus subtil, une classe, une envergure, une intelligence, un esprit, un esthétisme qui les différenciaient du commun des mortels jusqu'à ce que tout ça dégénère en lopettes de bas étage, travelos de tous poils, phénomènes de foire, tristement stimulés dans cette décadence par la levée d'interdits qui endiguaient les débordements extrêmes.

Et le pacs n'a rien arrangé !

Gays, gays, pacsons-nous !

*

Dans ce déclin sont apparus les pédophiles.

Lie d'une société en pleine décomposition, déchets abjects d'une humanité décadente, on en découvre partout, ils poussent comme des champignons vénéneux, éclaboussant les plus hautes institutions, corrompant le pouvoir, contaminant le clergé, brisant l'innocence dans ce qu'elle a de plus fragile. Bien connus et reconnus coupables, certains comme l'immonde Dutroux ne sont toujours pas jugés, ils compromettraient trop de personnages publics. On préfère le laisser croupir en prison et l'oublier…

Les détritus de ce qu'il y a de plus sordide remontent à la surface, comme dans la nuit des morts vivants et on nous les fait subir, on nous asperge de leur purulence, on ne nous parle que d'eux, certains écrivent même des livres, alors qu'il faudrait éradiquer toute cette lèpre contagieuse et dangereuse.

Mais depuis Mai 68 il est interdit d'interdire…

Joli résultat ! Épatant !

IV

L'énorme boule incandescente de ce soleil vaincu avait disparu derrière les collines, laissant la mer étale ensanglantée par ce duel quotidien que la nuit allait apaiser. Toutes les déchirures du crépuscule ravivaient en elle les images effrayantes de ce sang des bêtes qu'elle voyait couler à grands flots, torrents de vies, carotides béantes, gorges ouvertes, yeux exorbités de frayeur, d'épouvante, spectacle d'abattoirs ignorés de tous, tenus secrets, quotidiennement exécutés par des tueurs indifférents, pataugeant dans ce qu'il y a de plus sacré : le sang !

Après un dernier regard à cette mer de douleur, elle eut un besoin viscéral de serrer ses chiens contre elle. Ils étaient toute sa vie, enfin ce qu'il lui restait de vie ! Tant de lambeaux de son cœur ayant été arrachés au fil des années par la mort de ceux qu'elle considérait comme ses enfants. La chaleur extrême de cet été meurtrier lui avait enlevé trois de ses plus anciens mais plus aimés compagnons. La déchirure était douloureuse et la plaie encore béante. Meurtrissure exacerbée par l'agonie de plusieurs chats qu'elle chérissait tendrement.

Elle en portait le deuil.

En noir à perpétuité !

Elle aspirait à une fraîcheur attendue comme une survie, tout au long de ces journées torrides et brûlantes, agressives, lumineuses jusqu'à l'aveuglement, insupportables et desséchantes, bruyantes et vulgaires, pleines de rires gras, et polluées par l'incessant va-et-vient d'une multitude de touristes obscènes, étalant leur nudité et leur impertinence, s'appropriant tous les coins et les recoins d'un paysage féerique devenu décharge après leur passage !

La nuit l'enveloppa enfin d'une obscurité bienfaisante, d'une complicité de longue date. Elle vénérait la nuit qui avait nimbé d'anonymat sa célébrité lointaine. Ses souvenirs s'éparpillaient en multitudes d'images, explosant pêle-mêle au rythme des vaguelettes phosphorescentes qui s'échouaient contre la berge.

Elle avait tant aimé le soleil, sa lumière, sa chaleur qui dorait sa peau et blondissait sa chevelure de sirène. Elle avait épousé la mer jusqu'à se fondre en elle, épuisée par ses caresses, ses profondeurs, sa pureté, ses délices, ses étreintes qui l'enveloppaient d'un suaire salé, sperme fécond d'une renaissance quotidienne. Aujourd'hui elle la fuyait comme une amante gorgée d'un trop-plein de promesses non tenues, comme elle se cachait du soleil qui l'avait trop brûlée et dont elle ne supportait épidermiquement plus la présence.

Elle n'était plus très jeune mais, malgré l'outrage des années, conservait envers et contre tout une apparente et profonde naïveté d'enfance, démentie par un regard, miroir confus de détresse désespérante ou d'ineffable souffrance qu'elle dissimulait souvent lorsqu'elle jouait encore de la guitare et dansait aux rythmes sud-américains, laissant à ses longues jambes la responsabilité de toutes ses extravagances, de ses impudeurs les plus inattendues, les plus excentriques.

À ce jour, les cordes de sa guitare étaient aussi rouillées que ses cordes vocales qui, depuis longtemps, ne servaient qu'à pousser ce dernier cri, cet ultime S.O.S. qu'elle essayait de faire comprendre au monde indifférent et cruel dans lequel elle survivait. Ses jambes s'étant elles aussi bloquées pour cause d'arthrose, qu'elle refusait obstinément de soigner, elle ne se mouvait qu'avec difficulté, dansant ou chantant dans ses rêves, remplacés trop souvent par les cauchemars qu'elle combattait sans relâche.

5

Allons enfants de la Patrie...

Mais où aller ? Avec quels enfants ? Pour quelle Patrie ?

Un hexagone méconnu et mal connu dont les départements ne sont plus que des numéros, bagnards sans nom, sans identité.

Fini le service militaire, les jeunes hommes ne souffriront plus de l'atroce promiscuité des chambrées nauséabondes et du temps perdu à obéir bêtement à un adjudant borné mais souverain qui imposait sadiquement sa haute autorité à un échantillonnage multidiversifié de jeunes gens terrorisés. Mais alors que les hommes poussent un soupir de soulagement, voilà que les femmes s'en mêlent, s'engageant dans les troupes de carrière, essayant de prouver qu'elles pouvaient être à la hauteur dans les pires parcours du combattant, qui éprouvent les mâles les plus résistants. Cheveux courts, uniformes masculins, gros croquenots, fusils-mitrailleurs sous le bras, roulant des mécaniques de petits gabarits ridicules, moches à faire peur à un «régiment de Sénégalais en rut» (comme disait mon grand-père)!

Pareil dans la police!

Elles en prennent plein la gueule pour pas un rond dès qu'il y a un mec en face qui leur montre de quel bois il se chauffe... Les médias en font tout un fromage, on s'apitoie, la pauvre!

Mais ce n'est pas leur place, c'est grotesque!

Au nom de l'égalité des sexes, que de conneries!

Une femme se doit de rester une femme, elle ne sera jamais un homme, c'est physiologique.

C'est comme cette pauvre MAM, catapultée ministre des Armées, poste qu'elle ne peut assurer face aux généraux, aux hommes de troupe, aux militaires de carrière, aux mecs rompus à des entraînements forcenés, aux paras, les durs des durs, ceux que rien n'arrête, ni ne plient, ni ne rompent! Que vient faire à la tête de tout cet arsenal militaire, cette petite bonne femme bon chic, bon genre, qui était parfaite en porte-parole du RPR, mais semble lilliputienne et guignolesque, même si, telle la grenouille qui voulait se faire aussi grosse que le bœuf, elle tente désespérément de faire le poids en se tenant droite comme un «I» lors de ses manifestations officielles?

C'est à mourir de rire, mais aussi triste à pleurer...

Et pendant ce temps-là, ce qui nous reste de sexe masculin choisit la profession de top model, passe sa vie en soins esthétiques, épilations en tous genres et brushings chez les plus grands coiffeurs, sans oublier les crèmes de jour et de nuit, les miroirs et les parfums.

Où allons-nous? Dans une aberration totale!

Et toutes ces femmes ministres du gouvernement, est-ce vraiment leur place?

Parité ou non, à part de rares exceptions, elles ne font que des bourdes, imbues d'un pouvoir qui les dépasse, voulant marquer leur passage en faisant parfois voter des lois qui plongent tout le système social dans une pagaille menant à la ruine bien des entreprises.

«Les 35 heures» par exemple, ou «la présomption d'innocence»!

Le commun des mortels ayant déjà tendance à ne pas en foutre une rame, il y aura bientôt plus de temps libre que de travail effectif.

C'est scandaleux!

Quant à l'innocence de tous ces malfrats, bien connus des services de police, on voit où ça mène...

C'est inadmissible!

Guigou devrait mettre sa beauté au service du repos de son guerrier, et son temps libre à prendre le thé avec sa copine de régiment des «35 heures» qui, elle, ne doit pas être le repos d'un guerrier quel qu'il soit!

Les femmes, si elles savent se servir de leurs atouts, auront toujours le pouvoir de faire plier les hommes à leurs moindres désirs. Point besoin de prendre les places qui ne sont pas les leurs pour arriver à leurs fins.

VI

*L*a lune avait entamé son long vol de nuit, la nature enfin libérée de sa gangue de plomb laissait s'exhaler ses senteurs délicieuses, restées enfouies jusqu'à cette tardive délivrance. Cet astre rond, accroché au firmament comme un immense miroir reflétant encore les feux glacés d'un brasier disparu, la fascinait. Encore pleine, elle diffusait une clarté glauque où les ombres prenaient d'extravagantes proportions.

Il y a bien longtemps, elle dansait nue, sorcière d'une nuit, chevauchant un balai, sous l'œil froid de cette étrange complice. Elle se servit une coupe de champagne, c'est un des seuls luxes qu'elle s'octroyait encore ; elle puisait un certain réconfort à plonger ses lèvres dans cette fraîche blondeur pétillante. Elle tendit son bras et trinqua en silence avec sa lointaine amie toujours aussi indifférente.

Les contes de son enfance lui revenaient en mémoire, les histoires d'épouvante où les loups hurlaient à la lune. Elle adorait les loups, ces animaux mythiques, mal aimés, attachants, courageux, exclus

31

parce qu'insoumis à l'Homme, tout comme les renards pour lesquels elle avait une véritable passion. Elle revit cette soirée où un vieux renard galeux et épuisé vint se réfugier pour mourir dans la petite pièce attenante à la cuisine. Cette confiance l'avait bouleversée. Pour ne pas trahir, ni déranger son agonie, elle n'intervint que le lendemain et le trouva mort, en paix, au calme, enfoui parmi les vêtements en attente de repassage. Il alla reposer auprès de ses chiens et chats dans le petit cimetière. D'autres revinrent la nuit en quête d'une nourriture qu'elle leur distribue depuis régulièrement. Une méfiance viscérale de l'être humain ne lui permet que de les entrevoir de manière fugace et imprévisible.

Mais ils étaient là, présents, protégés dans son territoire, à l'abri des chasseurs, c'est tout ce qui lui importait.

Elle s'étira longuement. Son corps enfin apaisé par cette obscurité bienfaitrice, lui redevint présent, palpable, vivant.

Les loups, elle les avait côtoyés de près, elle s'était sentie des leurs, aussi sauvage, aussi difficile à apprivoiser, aussi insoumise, lorsqu'il y a quelques années, elle était allée accueillir au parc du Gévaudan, chez Gérard Ménatory, les quatre-vingts loups qu'elle avait sauvés de Hongrie où ils devaient être massacrés.

Elle avait eu le privilège d'entrer seule dans un enclos réservé à des louves de Sibérie, avec pour précaution indispensable, se mouvoir au ras du sol, aucun geste brusque, ne jamais se lever ! Rampant dans la neige boueuse de cette fin d'hiver 1991, elle fut immédiatement cernée par quatre femelles dominantes.

Les autres, respectant le protocole, se tenaient à distance, prêtes à intervenir. Son cœur se mit à battre violemment, non par peur, aucune crainte ne l'habitait, mais envahie d'une émotion qui lui fit monter les larmes aux yeux.

Il y eut des petits jappements, sortes de cris étouffés, mêlés de bruyantes respirations, des mouvements craintifs et curieux. La plus hardie frotta son museau contre sa joue, puis recula rapidement. Elle ne bougeait pas, clouée au sol, soumise de son plein gré à la découverte de cette étrange rencontre entre femelles d'espèces différentes.

Soudain, derrière elle, une des louves s'attaqua à son chignon, tirant avec puissance sur ses longs cheveux. Elle résista au désir de se retourner brusquement, contrôla sa réaction, mit lentement sa main pour protéger son visage et récupérer ce qui restait de son échafaudage détruit. La louve s'éloigna, puis revint, très intéressée par cette fourrure inconnue qu'elle semblait apprécier. Après bien des reniflages, des allers et retours, des regards d'inquiétude, les quatre louves, comprenant enfin qu'elles ne risquaient rien auprès de cette étrange créature, finirent par s'allonger.

Elles l'avaient adoptée.

Elle poussa un long et profond soupir, se souvenant avec émotion de ce moment magique, finit son champagne devenu tiède. Tout était calme autour d'elle, loin de la foule déchaînée qui alimentait les pages «People» des magazines internationaux, cette foule qu'elle fuyait, comme obsédée à jamais par l'empreinte brûlante que lui avaient laissée ses années glorieuses, sceau indélébile d'une traque dont elle souffrait encore et toujours, qu'elle ne pourrait jusqu'à sa mort oublier !

Cette cible qu'elle fut, qui la marqua au plus profond de sa vie, lui rappela le sort que les bergers français s'apprêtaient à faire subir aux loups réintroduits au Mercantour. Tant de haine, de violente cruauté, d'adversité acharnée à vouloir massacrer à tout prix, illégalement ou non, ces pauvres bêtes responsables de tous les méfaits, de toutes les catastrophes, de toutes les détresses non prouvées, subies par les moutons lors des transhumances, l'écœuraient.

Pourtant elle aimait les moutons, leur fragilité, leur douceur, leur innocence. Elle s'était battue pour eux, contre leurs égorgements sauvages et inhumains, sans étourdissement préalable donc illégaux, mais imposés par diverses dérogations, acceptations d'allégeance à des traditions étrangères auxquelles, on ne sait pour quelles obscures raisons, les gouvernements se soumettaient. Traînée devant les tribunaux à plusieurs reprises, elle dut se plier, vaincue, bâillonnée, saignée matériellement par des amendes faramineuses qu'elle fut obligée de verser à ceux qui promotionnaient et soutenaient ces atroces coutumes.

À ce souvenir, elle fut secouée d'un frisson, révoltée, impuissante, triste.

Elle s'imagina bergère, comme dans ces romans ruraux qu'elle dévorait, dans lesquels elle se plongeait, revivant cette existence rude mais encore humaine de la fin du XIXᵉ ou début du XXᵉ siècle. Ces vies rythmées par les saisons où les vaches donnaient leur lait mais non leur chair, où les poules offraient leurs œufs mais non, en série, leur corps, où l'existence de chaque animal était respectée pour la survie qu'elle apportait.

Bien sûr, on tuait le cochon, chaque année à la Saint-Marcel, cruelle tradition difficile pour elle, végétarienne, à admettre, mais ce sacrifice permettait à la famille nombreuse de survivre. Rien à voir avec les abattages industriels à la chaîne qui se pratiquent quotidiennement dans tous les abattoirs du monde.

Et les loups qui, à cette heure avancée de la nuit, devaient, comme elle, être baignés de lune, au plus profond de territoires inviolables, aux frontières inaccessibles de la vie et de la mort, de l'Italie et de la France.

Elle soupira comme submergée par une immense détresse.

Ce pays, le sien, qui fut la «douce France» de son enfance, devenait inexorablement un danger pour tout ce qui ne faisait pas partie des «Droits de l'Homme» dont on se gargarisait sans aucun respect pour ce que ces droits impliquaient comme devoirs.

Pays d'accueil, soit, mais aussi et surtout immense abattoir sélectif!

Faudrait-il qu'un jour on en arrive à tuer une population parce qu'un individu serait porteur d'un virus dangereux? Par principe de précaution?

Pourtant c'était bien ce qui se passait au cœur des fermes de France depuis trop longtemps. Des troupeaux entiers furent décimés, pour le cas unique d'une vache dont on n'était pas certain de la folie, des milliers de moutons embrasèrent les campagnes, incinérations massives au nom d'une fièvre aphteuse non confirmée. Ruinant au passage la vie de tous ces petits agriculteurs, fermiers, éleveurs, artisans du terroir qui furent, au temps de sa splendeur, les mamelles de la France.

Les grillons avaient commencé, depuis, leurs symphonies nocturnes. Ils étaient les visiteurs du soir, les petites consciences de Pinocchios en déroute, reprenant à la patte levée les chaleureux concertos des cigales, qui se faisaient de plus en plus rares...

Les bergers du temps jadis, lorsqu'ils étaient encore les gardiens de leurs troupeaux, connaissaient bien des choses mystérieuses concernant les nuits, les bruits, les feulements, les étoiles, les brises ou les vents, les pluies ou les beaux temps.

Soudain elle crut voir passer une étoile filante et fit un vœu, toujours le même, non exaucé, mais éternellement renouvelé.

Aujourd'hui, certains bergers vindicatifs et haineux, revendiquent leurs droits aux dédommagements pour ce que les «loups» leur ont fait subir. Ils manifestent, levant le poing avec hargne, attendant impatiemment l'ouverture de la chasse, le fusil ayant remplacé le fameux bâton de berger dont se prévaut Justin Bridou! Les brebis, estivantes laissées seules à elles-mêmes, entourées çà et là de quelques chiens de garde, n'ayant plus la présence rassurante de l'homme, s'éparpillent au gré de leurs terreurs innées, s'immolent en masse, épouvantées par le moindre signe, bruit, éclair inhabituel dont le loup est toujours et encore responsable !

7

« Tra-la-la... L'école est finie, jetons les livres au feu et les maîtres avec eux ! »

Cette comptine de mon enfance paraît désuète face à l'énormité absurde qu'est devenue l'école aujourd'hui ! Lieu de toutes les agressions, centre de dépravation, avec des dealers de drogues en tous genres, clans de terroristes en herbe, consommateurs massifs de préservatifs, j'en passe et des meilleures...

C'est ça l'Éducation nationale pour laquelle un budget faramineux est débloqué annuellement, avec comme résultat un nombre inimaginable d'illettrés, incapables de lire et d'écrire, un ramassis de ramollis du bulbe !

Plus aucun sens des valeurs remplacé par celui, démultiplié, des vacances.

La discipline faisait la force des armées mais aussi celle des lycées.

Lorsque les professeurs ont une certaine tenue, une certaine dignité, ils inspirent forcément un certain respect. Depuis que les « instits », à l'image de ce mauvais feuilleton télévisé, viennent enseigner non

rasés, cheveux gras, chemises sales, jeans dégueu-
lasses et baskets boueuses, voulant se fondre à ceux
qui, s'identifiant sans aucune pudeur à cet exemple
débile, ne les considéreront qu'avec mépris et insou-
mission, aucune autorité, aucun respect, ne pourront
être accordés à ces SDF de l'enseignement.

Ces vieilles traditions soixante-huitardes ont fait
leurs preuves de catastrophes. Seuls les imbéciles ne
changeant pas d'avis, il serait temps qu'un ministre
responsable de l'Éducation nationale tape enfin du
poing sur la table et remette un peu d'ordre dans ce
vertigineux bordel! Même si le ministre en question
est lui-même un ancien de Mai 68! Mais il ne faut
pas se fier aux apparences et espérer que son intelligence dépassera ses préjugés sur l'interdiction d'interdire. La gauche n'étant plus, pour le quart d'heure,
au pouvoir, mais ayant fait les ravages que l'on constate
depuis plus de vingt années!

Toute cette délinquance qui n'est, hélas, pas que
verbale, tous ces mixages de cultures ne font qu'ac-
célérer les désastres que nous subissons avec effroi
mais auxquels aucun pouvoir ne met fin.

La trouille!!!

Si ceux qui nous gouvernent sont trop complai-
sants, alors où allons-nous?

Nous serons noyés dans une diarrhée contagieuse
et multiforme, qu'aucune «ChiracoSarkosie» ne
pourra endiguer...

Pourtant l'enseignement tel qu'il devrait être
pratiqué est à la base du devenir de la jeunesse: le
respect des valeurs de notre pays, la connaissance de
l'histoire de France non édulcorée par la gauche,

mais en texte intégral, la dignité du savoir lire, écrire, compter ce qui, me semble-t-il, est un minimum pour ceux qui se prétendent « étudiants » ! La discipline, la rigueur, le respect auxquels devraient se soumettre tous les élèves vis-à-vis de leur classe, de leur professeur et de leur établissement. Mais les nuls et les minables bénéficient de toutes les indulgences, « apprenants en succès différé », au détriment de ceux qui portent en eux de véritables espoirs de réussite.

Nivellement par la base. Ignare Academy !

Faut pas rêver !

Et puis les vacances, il n'y a plus que des vacances tout au long de l'année.

À peine deux mois après la rentrée, la Toussaint, puis Noël, puis mardi gras, puis Pâques et Pentecôte. Chaque fois, trois semaines d'embouteillages sur les routes, d'accidents mortels, d'envahissement des gares et des aéroports pour que ces chers petits, épuisés, et leurs instits, puissent enfin se détendre ! Et c'est la ruée vers les stations de ski, les bords de mer, les villages de vacances bétonnés qui fleurissent un peu partout, défigurant le paysage. On apprend aux gamins les loisirs au détriment de l'essentiel qu'est le travail.

Là, le ministère de l'Éducation est fautif, coupable, laxiste, complice. Manquant lui-même de rigueur, de morale et du moindre sens des responsabilités, il ne peut transmettre aux enfants qu'une lamentable fainéantise !

VIII

Une douce petite brise de terre s'était levée, ses chiens remuant lentement, le nez au vent, aspiraient des odeurs venues d'ailleurs. Elle respirait aussi les senteurs salées, mêlées d'algues, qui emplissaient ses narines.

Elle rentra dans sa maison qu'elle adorait et dans laquelle elle avait choisi de s'installer définitivement, laissant un peu à l'abandon ce qui lui avait servi de territoire durant de nombreuses années, ses racines parisiennes et sa propriété des Yvelines qui lui avait tant causé de problèmes.

La lumière l'éblouit un instant, puis elle retrouva ses repères.

Ici tout était à son image, un mélange hétéroclite de vichy à carreaux blanc et bleu, de Skaï moderne, de meubles anciens dénichés dans les brocantes ou venant de ses parents, et de fabuleux designs signés par des décorateurs contemporains. Des centaines de photos de ses animaux disparus meublaient les étagères d'une immense photothèque, des lithos de Folon, de Carzou, des gravures du XIXe siècle, certains dessins la représentant, des miroirs romantiques, des horloges, des pendules sonnant les heures et les demies. Tout un bric-à-brac de livres qu'elle avait aimés, de cassettes qu'elle conservait, donnait une atmosphère chaleureuse à ce repaire plein de souvenirs – témoins d'une vie remplie, tumultueuse, avec des controverses – mais, néanmoins, éblouissante d'espace et de clarté.

Au centre, la cheminée, cœur vivant, indispensable point de ralliement de toutes les pièces se rejoignant autour d'un foyer actuellement éteint mais prêt à dispenser les flammes, la chaleur et les odeurs inoubliables de ces feux de bois qui font danser les ombres froides des soirées d'hiver. Elle en avait une terrible nostalgie de ces longues heures de nuit qui donnaient une intimité feutrée à ces crépuscules prématurés alors qu'au-dehors le mistral soufflait son haleine glacée.

En rejoignant son lit posé comme une immense fleur tropicale au milieu de sa chambre, elle ne pensa plus qu'à la douceur de se lover dans la fraîcheur parfumée et accueillante du repos qu'elle y trouverait.

Un chien aboya au loin dans la nuit, d'autres lui répondirent, les siens s'y mirent aussi, tout ne fut plus subitement qu'une immense cacophonie d'abois, de plaintes, de hurlements... et elle repensa soudainement à tous les abandons que ces vacances provoquaient chaque année, de plus en plus nombreux malgré tous les efforts, les suppliques, les recommandations, les affichages coûteux, les divers interviews

qu'elle donnait, y mettant tout son cœur, toute son âme, mobilisant toute l'équipe de sa Fondation. Toutes ces fourrières saturées de petits museaux humides, de grands yeux affolés, jetés là par des municipalités intransigeantes sur la propreté de leur commune, n'ayant aucune compassion pour tous ces petits corps tremblants, blottis les uns contre les autres dans des espaces réduits, insalubres et obscurs dont ils ne sortiront, à part miracle, que pour la piqûre mortelle faite maladroitement et à la chaîne par un vétérinaire administratif sans état d'âme. Condamnés à mort parce qu'abandonnés!
C'est un sacrilège.

Elle eut envie de hurler à son tour, hurler sa révolte, son désespoir, son inutilité.
Elle vivait dans un paradis cerné d'enfer.
Cette minuscule parcelle épargnée dans un monde de folie, de violence, de cruauté, ce petit îlot qu'elle avait modelé à son image, cet éden microscopique qui ne pouvait protéger qu'une infinitésimale variété d'animaux, elle l'eût voulu aux dimensions de son amour, de son cœur, afin de sauver tous ceux qui ne demandaient qu'à l'être, tous ces cris inaccessibles à la pitié d'autrui.
Elle revoyait comme dans un cauchemar les multiples refuges où derrière les barreaux se tendaient tant de pattes, symboles dérisoires d'une aléatoire adoption, soulignés par tant de plaintes, suivis par tant de déceptions, lorsque celui qui aurait été leur sauveur s'éloignait plus ou moins indifférent, chercher plus loin le «produit» de son choix...

43

Tous ces laissés-pour-compte, les vieux, les trop gros et encombrants, les râleurs ou les timides repliés sur eux-mêmes, n'avaient aucune chance de s'en tirer. Ils iraient grossir les tas de cadavres que les services d'équarrissages venaient relever hebdomadairement.

Sans parler des blessés, malades et estropiés...

Elle eut un haut-le-cœur et se mit à terre pour câliner, un à un, ses enfants sauvés in extremis du sort fatal. La plupart étaient vieux, c'est ainsi qu'elle les avait choisis afin de leur donner cette fin de vie heureuse à laquelle ils avaient droit. D'autres étaient borgnes ou boiteux, le plus atteint n'avait que des moignons arrière, ses pattes ayant été coupées sauvagement. Tous étaient d'une tendre reconnaissance si forte que parfois, devant leur courage, elle avait les larmes aux yeux.

Ne pouvant les sauver tous, elle portait en elle le poids d'une culpabilité qui lui rendait la vie amère. L'immense responsabilité dont elle s'était investie et qu'il lui était impossible de résoudre seule, sans les appuis indispensables de parlementaires concernés, usait sa santé et ses forces.

9

Un des grands phénomènes de notre société actuelle, un petit miracle de la technique moderne, porte-parole du politiquement correct et de la grande débilité publique qui ronge notre monde, c'est la télévision !

La gloire des minables !

On est accro. On en devient abrutis !

Il n'y a qu'à passer en revue ce qui est proposé par les diverses chaînes aux imbéciles que nous sommes, scotchés envers et contre tout devant ce petit écran magique qui ne reflète plus, hélas, qu'une décadence bien dirigée, tirant son public vers le bas de ce que « la France d'en bas » peut offrir de plus dégradant, de plus ordinaire, de plus vulgaire.

Machine d'abêtissement, crime contre l'intelligence, télé-réalité !

Koh-Lanta, Loft Story, L'Île de la tentation, Fear Factor... sont le comble d'un voyeurisme pervers, moralement porno, prenant le spectateur débile en otage, complice d'une bassesse intime poussée à outrance.

Mais que fait le CSA ?

À quoi servent ces «sages» qui laissent diffuser de pareilles conneries ? Sans parler des films érotico-pornographiques qui, sans avoir l'air de rien, envahissent de plus en plus nos petits écrans.

Et les talk-shows ? Où Ardisson parle de drogue, de cul, de baise, de sucer, de fellations jusqu'à l'exaspération parfois violente de ses invitées ! Ou la soumission gênée des plus timides.

C'est lamentable !

Quand, par miracle, certaines émissions comme *Qui veut gagner des millions ?* font l'unanimité d'un sacro-saint Audimat, on les supprime du jour au lendemain, sans prévenir, pour mettre à la place *Le Maillon faible* qui n'a pas que le maillon de faible mais la totalité stupide du concept.

Heureusement, il reste encore l'élégant Michel Drucker, Julien Lepers, Nicolas Hulot, Pascal Sevran et sa personnalité dérangeante, Guillaume Durand qui, loin d'être Bernard Pivot, fait quand même un effort avec *Campus*. Également *Vol de Nuit* (un peu tardif, c'est dommage) pour notre PPDA national et *Faut pas rêver*, *Envoyé spécial*, *Des racines et des ailes*, *Thalassa*, *Zone interdite*, *Culture et dépendance* avec un superbe Franz Olivier Giesbert qui après nous avoir dit « À toute… » s'est repris en ajoutant « À tout de suite ! », émission littéraire oblige !

Pour le «politiquement correct», des émissions tendancieuses qui, hélas, ne laissent parler que ceux qui prêchent certains cons… vaincus ! Car on ne peut être que vaincu lorsqu'on est con…

Quant aux films de prime time, bonjour les navets

à la française qu'on nous rediffuse jusqu'à nous donner une nausée de ces primeurs déjà indigestes mais qui, éternellement réchauffés, sont véritablement écœurants.

L'Été rouge et *Napoléon* sont des exceptions, appréciées ou non, mais dignes d'être reconnues comme des valeurs sûres, jouées par de merveilleux comédiens dans de fabuleux décors avec de solides mises en scène.

Y'en a marre des *Urgences*, des *Femme d'honneur*, des *Instit* à la noix de coco, y'en a marre des *Vis ma vie*, des *Vie privée, vie publique*, des *C'est mon choix*, des *Ça se discute* avec ce finaud de Delarue qui sonde le profond des détresses humaines, faisant grimper l'Audimat. Pareil pour *Sans aucun doute*, où Julien Courbet nous passe et nous «rapace» la désespérance des pauvres gens utilisés par le système actuel dont on nous abreuve et dont ni lui ni nous n'avons rien à faire!

Y'en a marre!

Et pour entendre tout cet amalgame de misères répétiti-répétita, qu'on passe nos soirées à vivre nous-mêmes, on nous fait payer une redevance qui a bien failli être augmentée...

Le comble!

Quant aux acteurs, le peu qu'on peut apercevoir sont toujours les mêmes, les plus nuls en général. Dieu que le cinéma français est devenu *vulgum pecus*: tristes et vilains à faire peur, les «vieux» premiers sont de véritables caricatures du Français moyen. Quant aux actrices plébiscitées, elles n'ont rien de plus, hélas, que les bonnes femmes interviewées lors des micros-trottoirs dont on nous rebat les oreilles.

Tout ce petit monde clos ne fait plus rêver…

Il faut s'identifier à la misère, à la masse, à la cour des Miracles, être sale, mal coiffée, ordinaire, s'exprimer en onomatopées pour accéder à la gloire de faire partie du troupeau.

Celles qui ont la beauté, l'intelligence, le talent, la somptuosité d'être différentes sont des cas uniques qui n'ont pas forcément la reconnaissance qui leur est due.

Sophie Marceau en est une somptueuse exception.

Isabelle Adjani, trop mystérieuse, trop secrète, trop belle, force l'admiration.

Isabelle Huppert s'impose par une personnalité et une multitude de facettes qui transgresse son talent, violant l'uniformité terne de l'artistiquement correct.

Emmanuelle Béart, si belle Emmanuelle, épanouie, magnifique biche aux yeux éternellement traqués par un engagement respectable mais parfois excessif dans un monde politique si mal compris, si loin d'un métier qui se voudrait neutre au nom de son talent.

Vanessa Paradis, si jolie, si fragile, a succombé à trop d'interdits. Quel dommage !

Arielle Dombasle, la plus belle de toutes, la moins employée alors qu'elle est magique, intelligente, cultivée, continue d'attendre le rôle qui fera d'elle la « Star » qu'elle mérite d'être.

Il y a aussi Julie Delpy, notre ravissante *french actress* américaine, trop jolie pour réussir en France, qui surfe telle une sirène entre deux mondes.

Quant à notre toute dernière « Marianne », la pulpeuse Laetitia Casta, qui ne manque pas de talent, elle devra prouver qu'elle peut être moche, ordinaire et incolore pour espérer se faire connaître et apprécier.

Pour les chanteuses, les chanteurs dernier cri, c'est la course aux décibels. Plus on gueule, mieux on se fait entendre ! Et en avant les gorges déployées jusqu'à la glotte, laissant apercevoir au passage des langues chargées, peu appétissantes. Tous ces hurlements, tous pour un, un pour tous, ces « yaourts-compotes » où seuls les cris sont audibles, les paroles ayant été avalées au passage, qu'elles soient françaises ou étrangères, on ne nous sert qu'un charabia international dont les foules se régalent, hurlant encore plus fort leurs hystéries collectives.

Comble de l'insupportable, les pubs, ces sacrosaintes publicités, nous bourrant le crâne, véritables lavages de cerveaux, arrivant comme des cheveux sur la soupe, *Liebig* ou autres, nous vantant les bienfaits de telle ou telle serviette hygiénique ou tampon absorbant plus que d'autre, avec images à l'appui, ou l'efficacité d'*Eparcyl*, « la fosse septique tranquille », alors qu'en plein dîner, nous essayons, avec difficulté, d'avaler ce qui reste dans notre assiette, faisant malgré nous l'amalgame entre le tampon, la merde et notre pauvre menu ! Dur, dur d'être un téléspectateur assidu !

Pour couronner le tout, dès qu'une catastrophe naturelle détruit une partie de notre pays, que les habitants subissent des dégâts imprévus mais douloureux dont les chaînes nous saturent au point que nous nous sentons nous-mêmes victimes de ces cataclysmes, on s'empresse de nous donner un numéro de téléphone, vert ou non, afin que le bon peuple. déjà saigné à blanc par les impôts de toutes sortes, directs ou indirects, verse son obole pour aider les sinistrés.

Idem pour les téléthons («Télécons!») secourant les pires maladies dont l'enfance paye un lourd tribut. C'est la course à la générosité publique, on attend de battre les millions de l'année précédente et les Français, émus devant cette souffrance, répondent en masse, alors que la TV d'État calcule l'Audimat.

Scandaleux!

X

Allongée sur son lit, fenêtres et portes ouvertes sur la nuit, elle entendit le chant que les grenouilles assoiffées d'amour et d'eau fraîche avaient entamé alentour. Ce coassement ininterrompu, monotone et rassurant lui fit l'effet d'une berceuse. Elles devaient être des centaines à investir les moindres recoins d'eau saumâtre, croupie et infestée de moustiques qui avaient résisté à l'accablante et desséchante chaleur de l'été.

Elle aimait les grenouilles.

Du reste quel animal n'aimait-elle pas ?

Même les araignées qu'elle craignait, mais dont elle respectait la vie, admirant leurs toiles, dentelles mortelles, élaborées avec patience et perfection, qu'elle préservait au grand dam de son aide ménagère !

Les grenouilles, petites choses de rien du tout, qui tentaient envers et contre tous de se reproduire à cette époque de l'année, bravant les obstacles, prenant des risques mortels, en traversant les routes où on les trouvait écrasées, purée amalgamée de petits corps inertes ayant défié l'absurdité humaine en tentant de rejoindre celui ou celle qui attendait sur l'autre berge de cet étrange et sanglant passage.

Elle se souvenait, avec peine, de cette nuit où elle avait stoppé sa voiture devant le flot immense de ces minuscules batraciens, essayant désespérément de traverser, proies sans importance des automobilistes. Elle en avait sauvé des dizaines, les prenant à bras-le-corps sous la lumière crue de ses phares, créant un embouteillage monstre, se faisant insulter mais fière de son exploit.

Dernièrement, elle s'était fâchée avec un de ses meilleurs amis restaurateur qui avait mis à son menu des cuisses de grenouilles. Elle n'allait que rarement au restaurant, écœurée par tous ces plats, du foie gras aux cuisses de grenouilles, en passant par l'agneau, les pieds de porcs, les têtes de veaux ou les escargots.

Tous ces animaux sacrifiés de manière inhumaine, industriellement. Pauvres petites vies soumises à l'inexorable appétit boulimique et non sélectif d'un être supérieur appelé « humain », prédateur incisif, cannibale d'une chair jumelle, raciste d'une humanité qui ne l'est plus, monstruosité admise, reconnue et perpétuée, légalisée et monopolisée par des trusts puissants contre lesquels il était inutile de lutter. Même folles, les vaches sont rentables, même atteints d'une fièvre ou d'une tremblante, les moutons rapportent! Les dédommagements dépassant de loin les prix espérés sur les marchés saturés de notre Europe bien-aimée.

Elle se secoua, son esprit vagabondait au-delà des limites que son imagination lui imposait. Il fallait qu'elle se lave l'âme si elle voulait s'endormir apaisée. Pourtant elle ne pouvait oublier ces images obsédantes qui l'avaient à jamais meurtrie, montrant ces femmes et ces hommes indifférents à toute compassion, coupant en deux les grenouilles vivantes à la hache, séparant précieusement les cuisses du reste des corps, qui s'entassent les uns sur les autres, petits torses tronqués mais remuant encore leurs pattes avant et leurs pauvres petites têtes, agglomérat de douleurs, masse informe et agitée de soubresauts, incompréhension fugitive d'un sort atroce, inattendu, innocence condamnée au supplice de la gastronomie.

Elle alluma une cigarette, il fallait qu'elle fasse le vide, qu'elle oublie les douleurs.

Autour d'elle, tout était beau, paisible, elle devait se contraindre à s'intégrer dans cette paix. La radio, qu'elle avait définitivement mise sur un poste classique, diffusait un *Concerto pour flûtes* de Mercadante qu'elle adorait, qui l'apaisait et lui faisait voir le monde à la dimension du génie de son compositeur.

Elle s'assoupit en rythmant son souffle sur celui des vagues musicales qui firent voler ses rêves au-delà du monde, vers un éden auquel elle aspirait, plongeant dans le sommeil comme en une illusion qu'elle retenait au réveil, dans l'angoisse du jour à venir.

11

Le «médecin malgré lui» est redevenu à la mode. Tout ce qui touche à la santé publique bat de l'aile, mieux vaut ne pas être malade et crever immédiatement sans avoir à passer des heures, voire des jours à attendre aux urgences ou chez soi, qu'une aide aléatoire vous soulage de vos souffrances.

Le trou de la Sécurité sociale, les «35 heures», le manque d'effectifs soignants, la grogne des infirmières débordées, le ras-le-bol des médecins qui touchent moins d'honoraires que des manœuvres spécialisés, les hôpitaux saturés par une industrialisation de la maladie, les vieux qui n'en finissent plus de mourir, les jeunes qui n'en foutent plus une rame et n'assurent plus les retraites de leurs aînés, et patati et patata...

Toujours est-il qu'il vaut mieux être riche, jeune et en bonne santé que pauvre, vieux et malade!

Où sont donc passés nos bons vieux médecins de famille qui se dérangeaient de jour comme de nuit, efficaces pour tous les maux que la vie nous inflige, capables d'accoucher une parturiente, de soigner un cor au pied ou de tenir la main d'un agonisant. Maintenant il faut consulter les spécialistes de chaque partie de notre corps, courir à gauche et à droite pour un rhume compliqué d'une colique, en espérant toutefois que les maux de tête ne s'en mêlent pas, sinon à chacun sa spécialité et le malade sera bien soigné !

À chaque visite ou consultation, les ordonnances s'entassent, remplies de médicaments qu'on octroie par paquets de douze comme les asperges, avant même de savoir s'il sera efficace ou si ses effets secondaires seront bien acceptés par le patient. De quoi transformer tout corps humain en usine chimiquement dangereuse, tous ces produits pouvant en s'accumulant, provoquer des intoxications, des allergies extrêmement graves.

Nos organismes saturés d'antibiotiques, d'antidépresseurs, d'anticoagulants, d'anti-inflammatoires, d'antidouleurs, d'anti-insomnies, d'anticeci, d'anticela, succombent à une accoutumance qui, comme pour toutes drogues, oblige à pousser les doses à leur paroxysme pour qu'un bienfait soit encore perceptible.

C'est l'escalade. D'où le trou !

Tout ça pris en charge par la société, financé par les contribuables que nous sommes, plus personne n'assumant sa propre responsabilité, à part moi, qui ai définitivement renoncé, depuis trente ans, à mes droits à la Sécurité sociale, bien que je continue de payer ma cotisation sur chaque somme que je gagne !

Voilà pourquoi je me porte bien... enfin presque !

Que certaines interventions concernant les change-
ments de sexes, pratiquées par des chirurgiens parti-
culiers, soient remboursées par la Sécurité sociale est
absolument scandaleux et pourtant c'est vrai ! Il y a
de quoi se les prendre et se les mordre... à condition
de ne pas les avoir mises dans un bocal en souvenir
du temps où on en avait encore !

Aux dernières nouvelles, un herbicide très employé
aux États-Unis, l'Atrazine, serait responsable du
changement de sexe des grenouilles. Voilà qui donne
un espoir pour le futur et pourrait de par son coût
extrêmement faible, renflouer le gouffre de la
Sécurité sociale, de plus cela éviterait des épilations
coûteuses et douloureuses à tous ces hermaphrodites
en herbe !

Tout ça est effrayant et ridicule, mais d'une triste
réalité, hélas !

Les «hôpitaux mégapoles», ces villes dans les
villes, sont devenus les plus dangereux des nids à
microbes, des bouillons de culture, des centres épi-
démiques redoutables ; on y rentre pour un vulgaire
panaris, on en ressort les pieds devant, victime d'une
légionellose ou autres saloperies diffusées par les cir-
cuits d'eau chaude ou de climatisation qui brassent
un air pollué, contaminant massivement toute une
clientèle scrofuleuse, trop faible pour ne pas suc-
comber à une telle agression.

Mais ça fait de la place pour ceux qui sont en liste
d'attente...

Sans parler des chirurgiens peu méthodiques qui
oublient compresses ou instruments au milieu de

plaies béantes, recousues à la chaîne alors que les assistants cherchent désespérément le tampon ou la pince qu'ils ne retrouveront que quelques mois plus tard quand la septicémie aura fait des ravages chez le patient, impatient d'être débarrassé de ce corps étranger, encombrant et gênant, s'il n'est pas déjà mort !

Aujourd'hui, vous n'êtes plus qu'un numéro assorti à votre tare.

On ne dit plus « Je vais m'occuper de Madame Untel qui souffre d'arthrose », mais « Emmène le 1.310 au bloc pour sa prothèse ».

Le bagne !

Malgré toutes ces imperfections, les hôpitaux français offrent, à leur sympathique clientèle, le moyen de s'évader *gratis pro Déo* vers des univers exotiques qui permettent aux plus atteints d'entre eux d'avoir une dernière vision digne des plus alléchants dépliants touristiques.

Non, vous n'êtes pas en Martinique, ni à Madrid, mais vous pouvez voir les plus spécifiques exemplaires aux pieds plats traînants, aux derrières ballottants, qui « 'ou pa'le com' si on était su' place », et puis les Andalouses arrivées « dare-dare » d'Espagne pour combler, au pied levé sur un air de flamenco, le manque tragique d'aides-soignantes, qui vous lancent un « Olé » lorsque vous leur dites « Aïe, aïe, aïe ! ».

Tout ça est très joyeux.

De quoi nous plaignons-nous ?

La cerise sur le gâteau, pour ceux qui ont encore la force de se bouger au milieu de cet univers soi-disant aseptisé, c'est d'aller aux champignons, loisir devenu de plus en plus restreint dans nos forêts et campagnes mais auquel on peut s'adonner à cœur joie dans certains blocs opératoires comme ceux de Marseille, réputés pour leurs cultures de mycoses exceptionnelles et très appréciées, sans avoir à redouter de prendre en pleine tête la balle perdue d'un chasseur maladroit.

Que le ministère de la Santé soit remercié pour tous ces suppléments mis gracieusement à la disposition des malades français.

Cela dit, il existe encore, en voie de disparition, des centres de soins, cliniques privées ou hôpitaux exceptionnels, des médecins dignes de ce nom, des chirurgiens remarquables, des infirmières dévouées et merveilleuses, mais leur rareté en fait la valeur.

On ne confie pas sa vie à n'importe qui, à n'importe quoi…

C'est ridicule, mais le ridicule peut tuer !

XII

*E*lle ouvrit ses yeux encore remplis de ce sommeil qu'elle ne quittait qu'à regret, lourd de profondeurs exquises, d'anéantissement duquel elle n'émergeait qu'avec peine, par paliers successifs, nimbée de brume, enlacée comme à un amant à ces heures d'inconscience qui la libéraient provisoirement d'une réalité qu'elle fuyait.

Des rais de soleil transperçaient déjà le clair-obscur, à la manière de ces icônes religieuses auréolées de lumière divine. Elle y distingua des myriades d'éléments en suspension, minuscules poussières qui n'avaient rien d'étoilé, mais faisaient, hélas, partie de notre atmosphère.

Une subtile odeur de café, de pain grillé et de croissants chauds eut raison de sa somnolence. Déjà ses chiens, alléchés par l'approche de ce petit déjeuner partagé, n'en finissaient plus de se rappeler à son bon souvenir par toutes sortes de léchouilles, de jappements, de battements de queues et de regards d'extase. Les chats, moins gourmands et plus paresseux, s'étiraient à n'en plus finir.

Ce réveil à la vie était un de ses moments préférés de la journée, une petite renaissance qui lui rappelait son enfance où encore tout embuée de cette pureté, de cette vulnérabilité de l'éveil, elle se laissait gâter par un compagnon attentif, prévenant et fraternel. Tout émerveillée par le calme encore palpable, entrecoupé du gazouillis des oiseaux et rythmé par les vaguelettes qui s'épuisaient autour du ponton, elle savourait le bien-être de ce matin du monde, partageant sa joie avec ses petits compagnons qui, assis sagement en rang d'oignons autour d'elle, recevaient les morceaux délicieux qu'elle distribuait à chacun avec une minutieuse justice, comme une communion quotidienne.

Plus loin les chèvres, cochons, moutons, oies, poules, canards, ponettes, ânes, jument, un peu jaloux, sentant sa présence et espérant partager ce petit festin, se manifestèrent bruyamment. Symphonie cacophonique mais émouvante qui la fit sourire.

Elle les aimait tant ces animaux, tous sauvés des abattoirs, ayant souffert, arrivés blessés, stressés, squelettiques, affolés, paniqués, qu'elle avait patiemment apprivoisés, soignés, apaisés, qui, maintenant, lui prouvaient leur reconnaissance en lui étant attachés, confiants, fidèles, lui parlant dans leur langage qu'elle comprenait, échangeant leurs tendresses mutuelles.

Elle prit tout le pain, les restes de croissants, quelques sucres et se rendit au rendez-vous bruyant, les chiens gambadant autour, elle fut accueillie par tous les museaux, nez, groins, chanfreins, truffes, becs enfarinés, enchevêtrés, chacun voulant être servi en premier. La douceur de l'haleine chaude de sa jument, son chanfrein doux comme du velours, la confiance de sa grosse tête appuyée sur son épaule, ses grands yeux noisette telles d'immenses agates irisées, frangés de longs cils, la firent fondre.

Tandis qu'elle leur distribuait, à la «va comme je te pousse», bousculée par les chèvres coquines, abasourdie par les braillements des oies, cernée par les poules impatientes, attendue par les moutons timides, rappelée à l'ordre par la ponette et l'âne, tous les restes de son petit déjeuner, elle eut subitement la vision de l'horreur qu'elle avait vécue quelques mois plus tôt !

*

C'était à Gorizia, en Italie du nord près de Trieste, à la frontière de la Slovénie, là où les camions chargés d'animaux vivants, entrent dans la Communauté européenne, venant de divers pays de l'Est, Hongrie, Pologne, Yougoslavie, Bulgarie, etc... Première escale pour vérification et douane, après des jours de transport sans aucune halte de nourriture, ni d'abreuvement pour ces malheureuses bêtes entassées, si étroitement serrées les unes contre les autres que si l'une d'elles avait le malheur de tomber, elle était immédiatement piétinée, écrasée, étouffée par la masse compacte des autres.

Légalement, d'après les accords internationaux passés à Bruxelles, Gorizia est une étape où les camions doivent déposer les animaux dans des hébergements provisoires de quelques heures afin de leur permettre, enfin, de se nourrir et de boire avant de reprendre des routes interminables qui les mèneront aux abattoirs de Belgique, de France, d'Italie, des pays du Maghreb et dans certains Émirats arabes par bateaux.

Ce jour de juin, il faisait 40 °C à l'ombre...

Elle vit arriver le premier «camion double remorque», chargé de 350 agneaux sur trois étages. Des petites têtes bouclées s'étaient glissées entre les barreaux de fer essayant, bouches ouvertes et langues pendantes, d'aspirer un peu d'air. C'était navrant ! Le conducteur pressé, n'ayant visiblement pas l'intention de faire sortir ses bêtes, passa par la pesée du chargement, puis alla boire un coup, prêt à repartir en l'état. Mais, grimpée dans le camion, elle s'interposa, somma le chauffeur de se rendre à la halte obligatoire et de faire descendre sa cargaison.

À l'intérieur, il faisait 50 °C et les moutons, encore très jeunes, à peine sevrés, n'avaient pas été tondus. Dépense inutile probablement pour des agneaux de consommation. La manœuvre fut longue et difficile, chaque étage devant descendre électriquement lorsque celui du dessous laissait la place vide.

C'est alors qu'elle eut sa vision de l'Enfer !

Ils se bousculaient, tenant à peine sur leurs pattes ankylosées, titubants, apeurés, affolés, partant dans tous les sens, le premier flot d'agneaux laissa sur son passage des corps inertes, déjà froids, écrasés, d'autres agonisants, petits tas informes, respirant encore, des corps mutilés jonchaient le sol «en fer» de ces plates-formes brûlantes, monstrueuses performances de ce que le progrès peut imaginer de plus inhumain.

Aidée par l'équipe de sa Fondation et par quelques journalistes horrifiés, elle se précipita, essayant de sauver ceux qui pouvaient encore l'être. La plupart étaient morts, en bouillie ! Les trois survivants furent immédiatement baignés d'eau fraîche, alors que l'on appelait au secours les vétérinaires d'État, officiellement responsables du bon état et de la salubrité de l'animal, non pour son confort mais pour la viande qu'il est censé représenter. Personne ! Aucun vétérinaire ne fut trouvé pour porter secours aux petits rescapés qui, malgré tous les efforts qui leur furent prodigués, finirent par rendre un dernier soupir, sauf un dont elle serrait le petit corps contre son cœur.

Elle pleurait, sans honte, sans réserve, à chaudes larmes devant tout le monde, devant les responsables de cette aire bétonnée, qui laissait passer les camions, sans les sommer de donner à leurs bêtes un semblant, une parenthèse de détente dans l'effroi, la faim, la soif qu'elles subissaient au nom d'échanges économiques et internationaux des marchés politiquement lucratifs.

Elle pleurait devant les journalistes, les photographes, venus se repaître de l'image d'une star au combat, qui n'avaient plus devant eux qu'une femme vieillissante, secouée de sanglots, un petit agneau dans les bras dont la vie ne tenait plus qu'à un fil.

Elle pleurait devant son inutilité face à ce commerce d'animaux vivants, souffrant, mourant, ce scandale multiquotidien qu'elle tentait de dénoncer depuis des années, soutenue par tous ceux qui, comme elle, un peu partout dans le monde, s'élevaient contre la barbarie de ces transports d'animaux dans des conditions inadmissibles de cruauté.

Elle pleurait sur l'inhumanité de l'Être!

«Homme, qu'as-tu fait de l'Agneau de Dieu, celui qui effaçait les péchés du monde?»

Comme par miracle, le petit rescapé survécut et trouva la paix au sein d'une association italienne qui le recueillit, le soigna et lui donna à vie le bonheur d'une tendresse familiale. Mais pour elle, l'enfer allait se faire plus précis encore, lorsque le camion transportant des chevaux venus d'Ukraine arriva à la frontière.

Durant cinq longues journées, les animaux n'avaient ni bu, ni mangé. Quand on sait qu'un cheval boit un minimum de vingt-cinq litres d'eau par jour, on imagine l'état dans lequel ils étaient. Depuis deux longues heures, le véhicule stationnait en plein soleil sur un goudron ramolli par une canicule impitoyable. Aucun responsable présent, seul le chauffeur russe, lui aussi à la recherche d'un quelconque secours, incompréhensible dans son jargon mais visiblement très perturbé.

À l'intérieur du camion, cinquante chevaux, épuisés, mourant de soif, de faim, de chaleur, piaffaient, hennissaient, tapant du sabot contre les parois brûlantes, appelaient à l'aide ces hommes qui avaient durant toutes leurs vies de labeur, partagé leur quotidien de bêtes de somme lorsqu'ils tiraient les charrues, les charrettes ou les chariots, fendant la terre, ramenant chez eux les paysans ou transportant les enfants à l'école. Ces hommes qui les avaient vendus, devenus trop vieux donc inutiles, à des maquignons qui les envoyaient à l'abattoir après tant d'épreuves supplémentaires, alors qu'ils aspiraient à une retraite heureuse, sereine, au pré, retraite méritée mais non accordée.

Elle s'interposa, fit un scandale, finit par comprendre que cette cargaison de chevaux venant de Tchernobyl, ne pouvait légalement pas être débarquée dans les aires de repos tant qu'un compteur Geiger n'assurerait pas qu'ils n'étaient porteurs d'aucune radioactivité. Sinon retour à l'envoyeur ! Elle fit tant et si bien (le responsable du Geiger étant absent) qu'elle signa une décharge personnelle et ordonna que l'on fit sortir immédiatement les bêtes de cet enfer chauffé à blanc qu'était devenu ce camion.

Ils sortirent comme fuyant la mort qu'ils sentaient proche, s'échappant entre le fer et le béton jusqu'au hangar où l'eau et la paille leur rappelleraient l'époque encore proche de leur vie. Ils se bousculèrent, certains au galop, prenant leur envol pour fuir le martyre, d'autres clopin-clopant, fractures ouvertes sur des pattes brisées, trouvant encore la force de se traîner loin, le plus loin possible de cette terrifiante incarcération, certains ayant les yeux crevés suivaient, se cognant de partout.

Tous avaient l'épouvante !

Tous portaient des blessures profondes.

Elle assista muette à cette lamentable survie, à cet espoir insensé auxquels chacune de ces pauvres bêtes tentait d'accéder.

C'en était trop !

Elle revint à la réalité encore bouleversée par ses souvenirs infernaux. Autour d'elle, c'était comme magique, épanoui, serein. Elle effleura le museau de sa jument et tenta d'oublier le pire.

13

«La grande bouffe!»

Ah! Parlons-en de cette déferlante qui est devenue, avec la médiocrité, un des fleurons de la France!

On ne parle que de ça! On ne voit que ça! On ne s'intéresse qu'à ça!

On devient obèse à force de bouffer, tout et n'importe quoi, jusqu'à ce qu'un taux de cholestérol provoque l'infarctus inévitable.

À la télé, les pubs ne tournent qu'autour de cette sacro-sainte bouffe, allégée ou non, c'est pareil. Plus on bouffe, plus on grossit! La Palisse l'aurait confirmé.

Paradoxalement les jeunes filles, qui n'arrêtent pas de «s'en foutre derrière la cravate», voudraient avoir la ligne top model mais passent d'un extrême à l'autre, en nous faisant des crises d'anorexie qui les mènent jusqu'à des apparences squelettiques.

Tous les journaux, magazines «People» ou autres, vantent les mérites des yaourts, fromages blancs ou non à 0 % de calories, et les soupes en briques prédigérées, et les desserts en sachets à peine sorti, déjà fini. Et le pain, biscottes, suédois, qui aide à la taille fine, mais «au cul de plomb». Et les bonnes femmes qui bouffent tout cru leur mari parce qu'elles sont en manque de bifteck quotidien.

J'en passe et des meilleures.

Et les émissions de cette «aguichante» Maïté, avec ses mains dégoulinantes, qui écrase, en direct ou non, les cervelles, les boyaux, les chairs sanglantes d'animaux prêts à rôtir.

Beurrk!

Certains Français moyens sont gras, flasques, bedonnants, bouffis, rougeauds, chauves, affreux! Hommes et femmes n'ont plus forme humaine, ils se laissent aller, ne font rien pour rester présentables. Sans vouloir à tout prix que «tout le monde y soit beau et gentil», il y a un minimum de dignité à respecter. Quand on voit les micros-trottoirs, c'est un défilé de têtes de massacre, de caricatures humaines, épouvantails, mochetés de toutes tailles, de toutes races, de toutes classes. Devenus symboliquement l'image type du franchouillard à l'étranger. Étalons d'une race décadente, déformée par l'alcoolisme et la méga bouffe, qui reproduit ses tares sans scrupules, transmettant à sa descendance le pire d'eux-mêmes.

Du coup, le nombre d'enfants anormaux ne cesse d'augmenter.

On ne compte plus les émissions qui tentent de faire cracher au bassinet les contribuables déjà saignés à blanc pour venir en aide à tous ces pauvres difformes, infirmes, paralysés, incapables de parler, ni de se mouvoir, dépendant à vie d'une société déjà précarisée par le nombre surabondant des sangsues qui la rendent exsangue.

Les parents boivent, les enfants trinquent!

Toute la société actuelle trinque!

C'est impensable que, malgré la maladie de Creutzfeldt-Jakob dont on nous rebat les oreilles à la TV, avec images de quartiers de bœufs sanglants, écorchés et pendus aux crochets d'abattoirs, qui donne plutôt envie de vomir que de consommer, des inconscients continuent d'acheter des biftecks chez leur boucher parce qu'ils lui font confiance ou qu'ils sont clients depuis vingt ans!

Le jour où cela vous tombera dessus, ne venez pas vous plaindre, pleurnicher en direct, accusant la mauvaise traçabilité, le gouvernement, en demandant des dommages et intérêts.

Kif-kif pour les moutons, leur tremblante, leur fièvre aphteuse. Tous sacrifiés sur des bûchers, comme Jeanne d'Arc, au nom d'une sorcellerie sacrilège: ne pas être consommables!

Et les McDo, leurs hamburgers dégoulinants de ketchup dont les jeunes font leurs choux gras, devenant, jour après jour, de grosses baudruches mais déterminés à continuer à s'empiffrer de toutes ces saloperies arrosées de Coca-Cola.

Alors la ménagère croit échapper au pire en se précipitant dans les grandes surfaces sur toutes les nouvelles tendances: autruche, kangourou!

«Ma foi, c'est pas si mal que ça!»

Pendant que certains s'en foutent plein la panse, d'autres crèvent de faim!

Où est l'équilibre?

Et pourtant, que de gâchis dans cette époque dite de «consommation» où on jette à tire-larigot tout et n'importe quoi, à commencer par le pain, nourriture sacrée, base substantielle de notre vie.

Les grandes surfaces, ces «panzers» de la bouffe qui ont écrasé tous les petits commerces, sont responsables en grande partie de ce gaspillage monstrueux. Tout y est présenté «sous vide», stérilisé, découpé, étiqueté, contrôlé, daté. Les poissons sont carrés, les poulets coincés dans l'emballage ressemblant à des ballons de plastique. Les fromages lyophilisés ont tous le même goût, c'est-à-dire aucun, le lait écrémé, stérilisé n'a plus ni saveur ni grâce, le jambon, bourré de conservateurs, dégouline de flotte dès qu'on le sort de son linceul de plastique. Quant à la viande, c'est déjà pas ragoûtant chez un boucher, mais toute cette chair emballée ressemble à une morgue bien proprette avec le nom de la victime, sa date limite de consommation suivant de près celle de son abattage.

Traçabilité oblige!

Voilà qui ouvre l'appétit...

On nous présente tout un carnage «Nouvelle Vague» qui a une pointe d'exotisme, autruches, kangourous, chevaux, poneys et ânes, ces derniers plus prisés en saucisson, leur viande étant, de par la rude existence qu'ils ont menée, plus dure à cuire que les autres. Morceaux de vies exposés dans un cimetière vitrine aux normes européennes, plus ou moins agui-chant, pour un client plus soucieux du résultat qu'il en retirera, que de l'origine animale que ce dépeçage représente. Même les jus de fruits ne sont plus qu'un odieux mélange de colorants et de produits chi-miques aux goûts et aux couleurs de leurs étiquettes. Dès qu'un produit arrive à sa date limite, on le jette !

Eh oui ! Mais pour être sûr qu'il ne sera pas réuti-lisé par un meurt-de-faim, par un chien errant ou par une colonie de rats affamés, on le passe au broyeur, ou pire encore à l'eau de Javel ! C'est ainsi que, chaque jour, toutes les grandes surfaces de France détruisent de quoi nourrir les populations sous-ali-mentées du tiers-monde, jettent de quoi entretenir les refuges de chiens qui crèvent de faim ou, qui mieux est, en ce qui concerne les farineux, riz, bis-cottes, pâtes, biscuits, pourraient fournir les Restos du cœur qui s'essoufflent à faire le bien sans aucune subvention.

Tout ce gaspillage est inadmissible et indécent, il serait temps que les directeurs de ces «mégaspillages» prennent conscience du sacrilège qu'ils commettent quotidiennement en détruisant systématiquement de la nourriture consommable, qui serait la survie de bien des malheureux, ceux qui font les poubelles sur lesquelles aucune date limite n'est inscrite.

C'est dégueulasse !

Mais toute cette boustifaille ingurgitée à tort et à travers, ça fait grossir, s'avachir, la cellulite prend possession de ces corps mous, enrobe les muscles inexistants et l'on se met à ressembler aux vaches du Salon de l'agriculture. Alors tout le bon peuple se précipite chez les diététiciens, les nutritionnistes qui leur prescriront les régimes de ceci ou de cela, sans sel, sans sucre, sans goût ni grâce, des coupe-faim, des coupe-soif, à des prix exorbitants. Les plus aisés iront en cure dans des établissements spécialisés où ils payeront des fortunes pour déguster, pour tout potage, trois carottes et deux navets cuits à la vapeur, accompagnés d'une bouteille d'eau plate. Sûr qu'après huit jours, ils auront maigri mais leur porte-monnaie aussi !

Il y a des méthodes plus radicales.

La chirurgie esthétique étant devenue aussi banale qu'excessive.

Pour un oui, pour un non, on passe sur l'autel de la beauté et on se fait cisailler le visage, liposucer les cuisses et les fesses, bourrer les « nichons », les lèvres et tout ce qui est possible par des implants, piqûres de collagène, silicone ou autres saloperies. De 7 à 77 ans, les clients et clientes se bousculent dans les centres esthétiques où on leur épile toutes leurs touffes indésirables, où on leur tatoue des maquillages permanents, indélébiles, leur donnant à jamais l'air de clowns mal lavés, lorsqu'au réveil, après une nuit parfois agitée, ces dames émergent le cheveu en bataille, le visage chiffonné mais les sourcils, les paupières et les lèvres pré-maquillés.

Ridicule !

Chassez le naturel...

Hélas, il ne revient plus au galop !

La fraîcheur ne fait plus partie de la beauté « tendance ».

Il faut ressembler à la poupée *Barbie*, avoir la bouche de Béatrice Dalle, les seins de Pamela Anderson, les yeux d'Isabelle Adjani et les cheveux de Sharon Stone, la taille de Claudia Schiffer, les jambes d'Adriana Karembeu et la connerie en plus, gratuite pour une fois et à revendre qui plus est !

Je pense que le visage est le miroir de l'âme, qu'il reflète les sentiments intenses qui habitent chacun de nous. Le charme extraordinaire qui émane parfois d'un être dont les traits ne sont pas parfaits est beaucoup plus séduisant, captivant et envoûtant, que la platitude niaise d'une perfection élaborée chirurgicalement dont la profondeur du vide est insondable.

La beauté intérieure s'acquiert.

Une nourriture saine, une belle âme, une discipline de vie tournée vers une certaine spiritualité, un sourire, un éclat dans les yeux, la générosité du cœur, l'élévation de l'esprit au détriment du matériel. C'est simple, ça ne coûte rien !

Une danseuse est toujours belle !

Mais pas forcément jolie.

Elles acquièrent une grâce, une légèreté, une façon de se mouvoir, de marcher, de tenir leur tête avec un port de reine. Un régime draconien et des exercices quotidiens sculptent leurs corps. Rien ne pendouille, leur ventre est plat, leurs cuisses fermes et leur mental d'acier. Elles soignent leurs cheveux qu'elles gardent précieusement longs, parure naturelle d'une féminité profonde, qui leur donne ces airs de sylphides, légères, impalpables qui les différencient du reste du monde.

XIV

*L*e soleil entamait déjà son parcours brûlant, les ombres se raréfiaient, les cigales
peu nombreuses, trop perturbées par
tous les bruits incessants de moteurs aux décibels
puissants, tentaient malgré tout leurs chants spasmo-
diques, petite musique de jour indissociable de cette
végétation provençale.

Elle rechercha la fraîcheur de la ramade touffue
qui baignait d'une ombre bienfaisante la terrasse
de la cuisine. De puissantes odeurs de terre sèche,
mêlées d'un pot pourri poivré de plantes inhibées de
soleil, s'exhalaient du sol. L'atmosphère était lourde,
pesante.

Il faisait chaud.

Ses chiens, affalés, dormaient. Les chats, réfugiés dans
les profondeurs des buissons, étalaient leurs corps
souples et doux aux pieds des racines les plus fraîches.

Sirotant le verre de thé glacé au citron qu'elle avait
pris l'habitude de boire en guise de déjeuner, accom-
pagné d'une poignée d'olives noires macérées dans
du thym, délicieuses, elle pensa dans le silence ouaté

de cette canicule, à tout le charivari qui alentour se déroulait quotidiennement.

Toutes ces plages polluées de touristes bruyants, milliardaires ou escrocs, filles nues, putes ou starlettes, s'arrosant de champagne, mêlant leurs sueurs, s'excitant de manière obscène, se léchant tout ce qui est léchable en public, hurlant plus fort que la sono assourdissante, que les hélicoptères privés qui faisaient la navette, que les off-shores tonitruants, véritables meurtrissures sonores d'une nature violée, souillée, amputée par ces invasions terrifiantes, détruisant tout sur leur passage.

Grignotant une olive, elle imagina l'enfer de ces restaurants assiégés par tous ces gros lards en mal d'appétit qui, malgré la chaleur intense, allaient s'empiffrer de poissons grillés, de steaks-frites, de saucisses au barbecue. Se rendaient-ils compte, ces tubes digestifs sur pieds, de la souffrance que représentait leur assiette ? Certainement pas, trop occupés à loucher sur les seins de leur voisine, qui s'ils n'étaient pas siliconés risqueraient d'aller tremper, pendouillant, dans les moules marinières. Quand elle pensait que les mêmes personnages, «People» incontournables de toutes les manifestations parisiennes, seraient à la rentrée les locomotives des galas super «Hupch Much» donnés au bénéfice des enfants affamés du tiers-monde !

Elle en eut un haut-le-cœur.

Elle but une gorgée de thé glacé, cela lui fit du bien.

Elle se souvint du jour où, passant par hasard devant le marché aux poissons, elle en vit un qui, la bouche béante, asphyxié, mais vivant, usait ses dernières forces à tenter d'échapper par de faibles soubresauts à cet étal de mort. Elle ne fit ni une ni deux, attrapa le poisson, sous l'œil stupéfait du vendeur, courut à toutes jambes jusqu'au port et y jeta la pauvre bête ! Après elle revint et paya la somme due.

Un autre soir, dans un restaurant du bord de mer, elle aperçut, au moment de partir, un vivier dans lequel un pauvre crabe était probablement le seul survivant de cette soirée. Faisant mine de rien, elle demanda au garçon de le lui montrer de plus près en le pêchant avec une épuisette. À peine sorti, elle s'empara du filet, courut comme une folle sur la plage et rejeta le crabe dans la mer. Cela fit un mini scandale. Elle paya. On n'en parla plus.

Sans compter le nombre de fois où elle se saisit des langoustes que l'on allait ébouillanter vivantes et qu'elle alla les remettre à la mer, alors que les clients attendaient le menu commandé.

Pourtant elle était épicurienne, aimait et savourait tout ce qui était délicieux, faisait elle-même la cuisine, mijotait des petits plats dont elle régalait ceux qui partageaient ses repas. Mais jamais, au grand jamais, elle n'aurait pu se nourrir de la chair d'un animal. C'était exclu de sa vie, au même titre que porter de la fourrure.

Peut-être que si chaque personne devait tuer elle-même l'animal qui finira dans son assiette, le monde deviendrait végétarien. Hormis, bien sûr, ceux qui se réjouissent de couper la carotide de leurs moutons.

Elle avait en elle un dégoût viscéral pour ce fanatisme barbare, porteur de tant de souffrances.

Elle revint à la réalité, rappelée à l'ordre par le grognement des deux cochons, Marcel et Rosette, qui réclamaient la douche fraîche et bienfaisante dont ils ne pouvaient se passer, leurs peaux fragiles craignant la chaleur et la déshydratation. Armée du tuyau d'arrosage, elle s'amusa avec eux jusqu'à ce que, repus et trempés, tout contents et reconnaissants, ils aillent finir leur sieste sur le tas de fumier, odorant et moelleux.

Ils étaient devenus énormes ces deux petits cochons qu'elle avait recueillis l'un après l'autre tout bébés. Si petits qu'ils dormaient sur les chaises longues du jardin, à côté des chiens, où parfois même sur le canapé du salon ! Leur intelligence l'avait étonnée ainsi que leur propreté. Ils suivaient la promenade quotidienne lorsqu'elle pouvait encore marcher des heures, entourée de ses chiens et suivie par quelques chats.

C'était une curieuse équipée et elle riait aux éclats lorsque sur la plage, elle arrivait, flanquée de toute sa ménagerie qui faisait fuir les touristes apeurés par un tel cirque. Marcel et Rosette adoraient patauger dans la mer, trempant leurs gros derrières dans l'eau et restant ainsi assis de longues minutes, alors que les chiens allaient et venaient, et que les chats, prudents, se réfugiaient dans les arbres.

Trahie par une jambe meurtrie, tous ces souvenirs lui furent éprouvants.

Mais sachant faire la part des choses, elle acceptait sereinement le pire, gardant le meilleur pour ceux qu'elle protégerait à jamais avec l'amour totalement démesuré qu'elle vouait aux animaux.

15

La France : le pays de la Liberté !
Où il est interdit d'interdire...
Quelle connerie !
On n'a plus le droit de rien faire sans avoir les flics sur le dos et une sacrée contredanse. On n'a plus le droit de ne pas être saucissonnés dans sa voiture par une ceinture obligatoire, on n'a plus le droit de ne pas respecter une certaine distance entre les véhicules sur la route, on n'a plus le droit de dépasser les 130 km/h alors que les voitures ont des compteurs qui montent jusqu'à 250 km/h.

On n'a plus le droit de promener tranquillement son chien en lisant son journal, on est obligés de se trimballer avec un sac en plastique pour ramasser ses excréments, à condition toutefois qu'il ne soit pas victime d'une colique abondante, ce qui complique le problème par un vomissement subit du maître, vomissement qu'il devra à son tour ramasser afin de laisser le caniveau impeccable !

Encore heureux qu'il n'y ait plus de fiacres sinon le malheureux cocher serait contraint de descendre ramasser le crottin laissé par son cheval !

On n'a plus le droit de fumer !
Nouveau délit réprimé par la loi. Les avions, les trains, les bureaux, les salles d'attente, les halls de toutes sortes, les bistrots sont devenus des lieux où fumer est interdit sous peine de peines pouvant atteindre le porte-monnaie dans ses plus fortes amendes. Pourtant on continue de nous vendre des cigarettes à prix d'or...
Tout ça est paradoxal.
L'État s'engraisse sur la vente des cigarettes qui sont interdites de consommation ! Par contre on envisage de légaliser les drogues plus ou moins douces, qui me paraissent pourtant aussi nocives que le tabac. Une petite ligne de coke, un petit joint, c'est sympa, ça fait pas de mal, et c'est toujours « tendance » !
Quelle hypocrisie !

On n'a plus le droit de nourrir les pigeons sous peine d'une amende faramineuse. On n'a plus le droit de baiser sans préservatifs, mais par contre on a le droit de baiser devant tout le monde, l'été, sur les plages, à condition d'être « couvert » ! On n'a plus le droit de se plaindre des hordes de « jeunes » qui terrorisent la population, mettant le feu aux voitures, taguant les murs, souillant les immeubles, détériorant tout sur leur passage, sinon on est traité de « raciste » et ça peut coûter cher !

On n'a plus le droit de dire «merde» à tous ceux qui profitent largement des avantages sociaux qui leur sont octroyés généreusement par nos gouvernements au détriment de nos chômeurs, de nos retraités, de nos sinistrés.

Y en a marre ! ! !

On n'a plus le droit de se rebeller contre la dictature des syndicats gauchistes, communistes, marxistes qui prennent la population en otage, lors de grèves choquantes qui paralysent et ruinent le pays.

On n'a plus le droit d'être scandalisés quand des clandestins ou des gueux profanent et prennent d'assaut nos églises pour les transformer en porcheries humaines, chiant derrière l'autel, pissant contre les colonnes, étalant leur odeur nauséabonde sous les voûtes sacrées du chœur. Souvent sous l'œil hypocrite d'un curé ou d'un évêque politiquement correct mais religieusement infâme et lâche.

On n'a même plus le droit à la liberté d'expression écrite ou verbale.

On n'a plus le droit de rien.

France, ta liberté fout le camp !

Par contre on a le droit de payer les impôts parmi les plus excessifs du monde !

On a le droit d'être saignés à blanc par les TVA inadmissibles, les impôts locaux, les impôts immobiliers et mobiliers, les amendes de tous poils, l'ISF dès qu'on dépasse le SMIC, les stationnements payants, les contredanses généreusement distribuées par des aubergines devenues pervenches mais néanmoins

85

«fleur de cactus», l'essence devenue aussi chère bientôt que le whisky, les charges sur les employés, les impôts sur ces charges !

On a le droit de fermer sa gueule !

C'est le seul droit qui nous soit octroyé.

Ainsi soit-il !

XVI

L'air du temps fut allégé par un souffle, très doux, à peine perceptible qui balaya ses étranges pensées. Son regard fut attiré par un envol de tourterelles qui avaient élu domicile sur son domaine. Elles étaient arrivées là, s'étaient reproduites et depuis restaient fidèlement telles des parures veloutées, libres et symboliques de paix.

Cela l'émerveilla.

Au même titre que ces sangliers sauvages qui, depuis des années, petit à petit, s'étaient intégrés à ses troupeaux, ayant investi l'écurie pour certains, le tas de fumier auprès des cochons pour d'autres. Les femelles « suitées » de leurs minuscules petits marcassins à peine plus gros que des rats, venaient chercher refuge et nourriture dans l'enclos des chèvres. Au son de sa voix, elle les voyait arriver en rangs serrés, couinant, se pressant autour d'elle, bousculant le seau de maïs, mangeant à même dedans, se frottant à ses jambes, c'était une récompense qu'elle estimait miraculeuse.

Ces animaux déclarés « nuisibles » au même titre que les renards et autres espèces de petits rongeurs tels la martre, le putois, la belette, le ragondin, le rat musqué, le castor étaient chassés sans trêve tout au long de l'année, même lors des périodes de reproduction. Elle méprisait ceux qui en avaient décidé ainsi, ne considérant comme «nuisibles» que l'espèce humaine qui s'était octroyé le droit de vie et de mort sur tous ces animaux pacifiques persécutés à vie.

Le figuier croulait jusqu'au sol, chargé de ses fruits épanouis, éclatés de soleil, autour desquels les guêpes menaient une danse bourdonnante et gourmande.
Elle y alla prudemment et cueillit un plein panier de cette chaleur sucrée dont elle se régalait. La Terre, généreuse mère nourricière, donnait à ceux qui savaient l'apprécier un éventail extraordinaire et substantiel qui variait au fur et à mesure des saisons. Elle en profitait, cueillant les légumes du potager, les pêches de vigne, ou des citrons et agrumes en tous genres qui embaumaient son jardin. Fruits et légumes mélangés dans une immense corbeille d'osier, décoraient la table rustique, à la manière d'un bouquet multicolore, nature polychrome si vivante, si lumineuse, si harmonieuse qu'elle eût voulu être peintre pour immortaliser ces fabuleux trésors dont les hommes avaient l'immense privilège de profiter.
Point n'était besoin de tuer des animaux!
Que seraient venus faire dans ce tableau une tête de veau, une cervelle de mouton ou des pieds de porcs? Toute cette nécrophagie la ramena à la triste réalité humaine. Elle se souvint de cette phrase de

Tolstoï: «Tant qu'il y aura des abattoirs, il y aura des champs de batailles.»

Elle tirait des leçons de sagesse dans l'expérience de ceux qui avaient su élever leurs vies au niveau d'une spiritualité qu'elle avait soif de partager. Le philosophe et théologien allemand, Eugen Drewermann, qu'elle n'avait hélas rencontré que trop brièvement lors d'une émission pour les animaux sur Arte, lui avait été d'un précieux secours dans ses moments de doutes métaphysiques. Elle puisait dans *Le Progrès meurtrier*, un de ses principaux et plus complets ouvrages, la force de vaincre son découragement et sa lassitude face à un monde dont elle se sentait étrangère.

Konrad Lorenz, ce visionnaire, amoureux fou d'une nature qu'il prévoyait déjà en perdition dans *Sauver l'espoir*, lui avait appris à ne jamais baisser les bras dans les épreuves quelles qu'elles soient et aussi à aimer les oies, ces animaux doués d'une intelligence et d'un courage méconnus, considérés comme «confit» ou «foie gras» sur pattes par ces imbéciles de mangeurs, de gaveurs, de profiteurs que sont les êtres humains complètement dominés par leurs entrailles et leur appât du gain.

Marguerite Yourcenar qu'elle avait connue, avec laquelle elle avait eu de nombreuses et amicales correspondances, végétarienne comme elle, «pour ne pas digérer l'agonie», lui avait appris à suivre et à ne jamais trahir ses opinions, sa ligne de conduite. *Le Temps, ce grand sculpteur*, qu'elle lui avait envoyé dédicacé, lui servait de guide, calmant ses révoltes, apaisant ses colères, séchant ses sanglots quand elle y lisait l'inutilité, la futilité, la superficialité des outrages momentanés que la vie nous faisait subir face à l'incommensurable éternité qui nous englobait et qui nous anéantirait.

Milan Kundera, *L'Insoutenable Légèreté de l'Être.*

Stefan Zweig qui s'était suicidé, enlacé avec sa femme, pour fuir un monde d'où il se sentait exclu. Robert Brasillach, fusillé à 35 ans, forme d'assassinat qui nous fit perdre un auteur particulièrement talentueux où poésie et mal de vivre engendraient des chefs-d'œuvre.

Plongée dans ces univers chargés de réflexions, d'intelligences, d'expériences qui n'étaient pas les siennes mais auxquelles elle s'apparentait, elle ressortait renforcée, soutenue, confortée par les phrases, les mots. Elle admirait ce puzzle alphabétique qu'est la littérature de talent, chacun des auteurs au même titre que les grands compositeurs, employant, usant et exploitant éternellement les mêmes lettres ou les mêmes notes tout en sachant les placer de manière à ce qu'elles deviennent inoubliables en accédant à l'immortalité.

17

J'aime appeler un chat, un chat!

Or maintenant on dirait: «un animal domestique employé à la dératisation.»

C'est pareil pour tout. Pourquoi faire simple quand on peut faire compliqué.

On n'est plus sourd, mais «malentendant». Du coup, quand quelqu'un vous fait répéter une phrase, il faut dire: «Tu es malentendant comme un pot!»

On n'est plus aveugle, mais «non-voyant». Du coup, la fameuse fable de La Fontaine devient celle du «Non-voyant et du paralytique!».

Il faut féminiser tous les emplois jusqu'alors réservés aux hommes.

La «pompière» de service, «l'agente» de la circulation, la «factrice», la «procureuse» de la République, Madame «la maire» (non l'amère!), «l'éboueuse»...

Quel progrès! Vive la parité!

Heureusement il nous reste encore certains mots unisexe qui peuvent servir aux uns et aux autres sans poser problème : stupide, imbécile, inefficace, incapable, moche, débile dont nous pouvons user, sans modération, qui ne nuisent pas à la santé !

La cerise sur le gâteau, c'est la nouvelle appellation des femmes de ménage : «techniciennes de surfaces»! Les cancres sont des «apprenants en succès différés»! Quant aux concierges, ils sont passés : «agents de sécurité d'immeubles», les éboueurs sont devenus des «techniciens de salubrité urbaine» et tout est à l'avenant, y compris les putes, ayant «statut de travailleuses sexuelles», avec ou sans BTS, quant aux travelos, «androgynes victimes d'une tendance malheureuse». On ne dit plus voyous, malfrats, voleurs, mais «jeunes»! Ce qui donne une image non sélective et extrêmement péjorative de la plus belle époque de la vie. Le fait d'être jeune et gai n'évoque plus l'insouciance de l'adolescence mais une «pédale délinquante».

Il faut faire attention à ce que l'on dit !

Pour ce qui est du reste, on peut encore appeler un curé, un «curé» mais d'ici peu ils deviendront «les présidents généraux des paroisses» ou des «directeurs catholiques d'arrondissements». On ne dira plus «la bonne du curé» mais «la technicienne de surface du président général de paroisse»!

C'est une manière comme une autre de rendre hommage au vocabulaire le plus large et le plus subtil de la langue française devenue elliptique.

Lorsque PPDA rencontre BHL pour parler de MAM, de sa place au sein de l'UMP, qui a réuni le RPR, l'UDF, au grand dam du PS et du PC, on n'oublie pas la RATP, le TGV et la SNCF, ni l'IVG Mais VGE élabore la future constitution de l'UE malgré les protestations de la CGT, de la CFDT et de FO pendant que la FNSEA refuse toute réforme de la PAC. La SPA, la FBB, l'OABA et la LPO se mobilisent. Ce qui n'empêche pas l'ETA de provoquer l'ONU, et l'UNESCO d'aider l'UNICEF. Mais l'OM et le PSG, sous la vigilance de la SFPS nargueront le CPNT en pêchant la coupe ! Quant à la SS et à son trou, mieux vaut ne pas l'assimiler aux SS et à leurs gouffres.

Bref ! Pour faire court nous avons le matériel adéquat.

RSVP, si vous ne partagez pas mon point de vue : www.sit.point.com !

XVIII

Elle prit son bâton de pèlerin, comme chaque jour, pour monter à la chapelle.

La colline n'était qu'un enchevêtrement de cistes, térébinthes, orgelats, thyms sauvages, d'arbousiers, chênes-lièges, pins maritimes, parasols, et d'Alep ! Quelques mimosas et d'immenses eucalyptus bordaient le sentier caillouteux semé de fleurs sauvages qu'elle tentait d'éviter lorsqu'elle gravissait ce chemin de croix, suivie par sa meute, quelques chats courageux, et escortée de sa jument, sa ponette et son âne.

C'était une équipée.

Au loin, la mer à l'horizon infini, avec le retour au port de tous les yachts, petits et grands, voiliers ou à moteurs, se pressant comme dans le métro aux heures de pointe. Pour arriver les premiers aux places privilégiées, mais restreintes, qui leur permettraient de s'exhiber sous l'œil envieux des badauds transpirants. Public mollusque d'un spectacle gratuit offert par les milliardaires du show-biz.

Elle ignorait tout ce va-et-vient, uniquement préoccupée à tenter de voir si les tortues sauvées d'un incendie de forêt, qu'elle avait relâchées en pleine nature, montraient un bout de nez. De temps en temps, elle en apercevait une ou deux, mais c'était rare à cause de ses chiens. Pourtant elle savait qu'elles s'étaient reproduites et qu'elles étaient heureuses. Elle les aimait de tout son cœur, ces animaux étranges, si pacifiques, si persécutés, victimes de tant de ravages sur terre ou sur mer, trop lentes pour échapper à tous les prédateurs, au feu, aux braconniers, aux chasseurs d'écaille.

Noyée dans le flot de cette nature sauvage et préservée, il lui arrivait de croiser, sous l'œil ébahi de ses chiens statufiés, un couple ou deux de sangliers immobiles, prêts à détaler au moindre danger. Elle les saluait de la main, leur parlant comme à des amis, continuant son chemin, suivie de ses chiens plus effrayés qu'eux, puis chacun reprenait ses occupations.

À flanc de colline, la minuscule chapelle, dédiée à la Vierge, qu'elle avait fait construire, était le but de ses promenades quotidiennes.

Elle vouait une véritable passion à la petite Vierge.

C'est vers «Elle» qu'elle se tournait lorsque des poids trop lourds à porter dans les combats de sa vie, lui faisaient perdre pied. C'est avec «Elle» qu'elle rompait le silence de ses jours, s'adressant tel Don Camillo à la jolie statue qui lui tendait les bras. De véritables dialogues s'instauraient alors, parfois elle se mettait en colère contre telle ou telle injustice concernant les animaux. On pouvait alors l'entendre de loin... et la prendre pour une folle!

Elle ne demandait rien pour elle-même. Jamais.

Puis elle s'asseyait sur le petit banc de pierre et méditait avec ses animaux étendus autour.

La vue l'apaisait. Le ciel rejoignait la mer dans un crescendo de bleus pâles et profonds. Au premier plan, les pins parasols, majestueux, étendaient à ses pieds leur ombre bienfaitrice. Des oiseaux chantaient, petits pépillements aigus, entrecoupés de roucoulades de tourterelles amoureuses.

C'était paisible, serein et beau.

Elle remerciait Dieu de lui avoir permis de créer cette harmonieuse et délicate bulle intemporelle qui la préservait du monde hostile, bruyant et dépravé.

Cette solitude qu'elle redoutait tant, lui était devenue familière, voire indispensable.

Elle avait tant souffert de persécutions, de ceux qui volaient son image, usant, abusant, détruisant, disséquant ses moindres gestes, l'épiant des heures, la suivant, extorquant à son corps défendant tous ses mouvements, violant son intimité, sa vie privée, son âme et son cœur encore meurtris. Elle ne supportait plus la moindre incursion étrangère dans le monde qu'elle s'était créé en guise de bouclier. Si un téléobjectif la traquait, elle le sentait comme un gibier, et le moindre déclic inhabituel la faisait se mettre en alerte. En cela elle rejoignait l'inquiétude animale, en cela elle se fondait en eux. Comme eux, elle avait parfois l'envie de disparaître, de se séparer du troupeau pour aller mourir, devenue trop vieille et inutile, loin de ce monde nouveau qu'elle ne comprenait plus, dans lequel elle ne s'intégrait plus.

Mais cette solution facile et lâche mais aussi courageuse, la ferait abandonner tout ce pourquoi elle se battait depuis tant d'années. Ce serait une manière de baisser les bras, d'abdiquer, de se soumettre à une allégeance qu'elle réprouvait. Alors, un jour poussant l'autre, elle tentait de survivre.

Et irait jusqu'au bout de ses forces... devenues faibles.

19

Nous sommes, en tant que contribuables, à l'origine des salaires que s'octroient les ministres, mais sans nous demander notre avis.

Une augmentation venant d'être entérinée, c'est 85 000 francs mensuels (environ 13 000 euros) que reçoivent la multitude de ceux qui nous gouvernent, avec un peu plus (150 000 francs - 22 870 euros) pour le premier d'entre eux et beaucoup moins (45 000 francs - 6 860 euros) pour notre chef d'État. Mais s'ajoutent à ces dépenses financées par nous, les salaires des cinq millions de fonctionnaires d'État et cinq cent mille élus, leurs retraites et les avantages de toutes natures dont ils bénéficient.

Or, bien que cochons de payants, nous sommes pris en otage sans arrêt par ces fonctionnaires qui sont à notre disposition : grèves des trains, des transports publics, des avions, des tours de contrôle, des Postes, des transporteurs, EDF, GDF, grèves de tout et de tous, et sans service minimum ! Nous les payons avec nos impôts incommensurables, les plus lourds de l'Union européenne.

C'est scandaleux !

Et les ministres, à part d'aller se faire photographier dans les magazines «People», de passer à la télé, de se conduire comme des stars du show-biz, de quoi sont-ils capables ? On se le demande.
Rien n'a été pire qu'aujourd'hui.
À commencer par l'indégonflable Roselyne «Cachalot», ministre de l'Environnement, mise là en récompense de ses bons et loyaux services, incapable de différencier un lynx d'un chat, inefficace et dangereuse quand elle déclare «nuisibles» des animaux mis sous protection pour raréfaction par son prédécesseur. Incapable de donner des directives fermes et urgentes pour que ces pétroliers, qui engluent et polluent pour toujours, tuant des oiseaux par milliers, défigurant les côtes, mettant les pêcheurs et la population dans une détresse sans nom, soient dorénavant interdits de circulation dans les eaux territoriales françaises.
Non ! On préfère passer au J.T. avec col de fourrure, serrant contre son cœur Delanoë sauvé des couteaux et néanmoins d'un autre bord que le sien. Mais de quel bord est-elle ? Du bord d'elle !
Et tous ces ministres de l'Agriculture qui se succèdent, n'ayant comme unique solution que de tuer des troupeaux entiers, méga bûchers où se consument les corps trop souvent innocents de vaches ayant côtoyé par hasard une «folle», ou des carcasses de moutons, pauvres bêtes taxées à la «va comme je te pousse» de la tremblante ou de la fièvre aphteuse non prouvées. Comme si on condamnait au bûcher tous les sidéens ou ceux qui ont vécu auprès d'eux !

Le seul qui sorte du lot, le seul intègre, le seul qui tenta de faire évoluer les drames subis quotidiennement par les animaux de consommation, fut Philippe Vasseur, qui, hélas, écœuré par la politique qu'il côtoya jusqu'en 1997, changea définitivement de vie. Misons sur Gaymard, on ne vit que d'espoir...

Quant à la culture, depuis ce Monsieur L. qui, malheureusement, passa à l'Éducation nationale, on n'a jamais connu plus de laideurs, d'horreurs, mises au pinacle. Comme les tags barbouillés sur les murs qui sont devenus avec lui des œuvres d'art ! Même si nous avons, grâce à Dieu, Aillagon, ce foutu Monsieur L. reste aux yeux des médias, le seul, l'incontournable, vénéré et sacré à jamais, monument inoubliable de la génération Mitterrand. Avec lui, plus on est sale, bouseux, barbu, insolent et illettré, plus on fait partie du patrimoine culturel national.

Quelques-uns sont réellement responsables à leurs postes, comme Sarkozy, de Villepin ou Luc Ferry, mais ils sont rares.

Quand on voit le délabrement dans lequel notre pays s'englue, on se demande sérieusement si un gouvernement sert à quelque chose.

Les hôpitaux refoulent les urgences qui s'agglutinent dans les couloirs d'attente, ressemblant aux salles communes du Moyen Âge. Les retraités traités comme de la merde ne perçoivent plus leurs maigres pensions qu'avec des retards considérables et amputées d'impôts inadmissibles. Quant à nos personnes âgées, nos pauvres petits vieux, oubliés, seuls chez eux, livrés à eux-mêmes ou alors jetés dans des maisons de retraite, ils sont considérés comme du bétail inutile. Ils sont parfois soumis à des traitements autoritaires, à des engueulades permanentes par un personnel souvent dégoûté.

C'est triste !

Les priorités sont accordées aux immigrés, aux sans-papiers, aux clandestins pour lesquels les gouvernements débloquent des sommes considérables, les Français, qui sont en grande détresse, ne perçoivent plus que les reliefs, que les restes.

Sans parler du scandale que représente l'aide aux chômeurs !

J'ai connu des dizaines de ces chômeurs «professionnels» qui n'acceptent que du travail au noir, et encore en posant leurs conditions, se faisant grassement entretenir à ne rien faire, aux frais du contribuable. Je ne conteste pas qu'il y ait de vrais drames, de réels demandeurs d'emploi, qui perdus dans la fange des profiteurs, paresseux, planqués, soient victimes d'un amalgame qu'il serait facile de débrouiller. Après trois mois d'allocation chômage, si aucun travail n'est accepté, on ferme le robinet. Et là on verrait quels sont les vrais et les simulateurs.

Tout est à l'avenant.

Les allocations familiales versées à grand renfort aux regroupés familiaux, polygames, bénéficiant du triple au quadruple (nombre de femmes oblige !) au détriment des couples arriérés que nous sommes. Notre monogamie légale restreignant les ressources providentielles dilapidées sans compter à ceux qui, bafouant nos lois, se posent en prioritaires sur le nombre d'enfants pondus par une multitude d'entrailles différentes.

La culture du métissage tant désiré ne se fera plus attendre longtemps. Alors que chez les animaux, la race atteint des sommets de vigilance extrême, les bâtards étant considérés comme des résidus, bons à laisser pourrir dans les fourrières, ou à crever sans compassion d'aucune sorte, nous voilà réduits à tirer une fierté politiquement correcte à nous mélanger, à brasser nos gènes, à faire allégeance de nos souches afin de laisser croiser à jamais nos descendances par des prédominances laïques ou religieuses fanatiquement issues de nos antagonismes les plus viscéraux.

C'est extrêmement dommage.

Pour le monde. Pour nous-mêmes, pour eux !

Il faut laisser leur valeur aux choses, aux êtres, aux pays.

L'uniformité de cette mondialisation détruit, jour après jour, l'empreinte, le patrimoine, que des siècles de traditions différentes avaient apporté pour chacune des civilisations. Il n'y a plus de dépaysement, de couleur locale, d'architecture différente, d'us et coutumes à découvrir, de costumes provinciaux ou nationaux. Buildings et jeans sont devenus les deux emblèmes d'une banalisation mondialiste.

Quel malheur !

XX

Elle s'allongea à même le sol.

Elle aimait ce contact direct avec la terre sèche, caillouteuse où quelques brins d'herbe avaient eu le courage de pousser. C'était pour elle extraordinaire que la vie puisse perdurer sans aucun apport dans cet univers brûlé, desséché. Ces petites touffes de fleurs décolorées, prenant racine dans un rocher, ces pousses fragiles d'arbustes naissant entre des pierres, ces multitudes de petites éclosions se frayant un chemin difficile pour une aléatoire survie.

L'ombre s'agrandissait, le soleil se faisant plus tendre commençait d'être supportable.

Elle défit son chignon, ses cheveux coulèrent le long de son corps jusqu'à ses reins. Ils étaient sa parure la plus précieuse, de celles qu'on n'achète pas, comme la jeunesse, la beauté, la santé, l'intelligence ! Mordorés et dorés par fines mèches exposées avec précaution au soleil, elle avait la chance d'avoir, à son âge, une chevelure abondante, d'une coloration naturelle et chaude dont elle était extrêmement fière bien qu'elle la gardât secrètement préservée des regards indiscrets.

C'était une fourrure, un véritable manteau qui la recouvrait, dans lequel elle se sentait abritée, protégée comme dans un cocon. Enroulée dans cette robe soyeuse, elle se mit à penser douloureusement à tous ces animaux qui, comme elle, possédaient un trésor qui les condamnait à mort sans appel.

La fourrure faisait un retour en force. Tous les magazines de mode étalaient les modèles nouveaux qui allaient séduire les jeunes. Certains couturiers palliaient leur manque de goût en dissimulant leurs oripeaux ridicules et importables sous de somptueuses peaux d'animaux. On tricotait des mélanges de soie et de fourrure, on en décorait les sacs et les bottes. On taillait dans tous les sens les dépouilles soyeuses de tous ces petits êtres innocents pour faire fructifier un commerce mondial, un trust international, une mafia corporative dont les intérêts économiques fabuleux généraient des chiffres d'affaires comparables à ceux des trafics les plus juteux ! On sacrifiait les renards par milliers, les visons par centaines de milliers, d'élevage ou sauvages, piégés, électrocutés ou gazés, ils finiraient tous en accessoires de luxe, en parures onéreuses, signes extérieurs d'une cruauté sordide.

Trente-cinq millions de ces animaux seraient sacrifiés, cette année, sur l'autel de la mode !

Zibelines, hermines, ragondins, castors, marmottes, écureuils, chats sauvages, loutres allaient être piégés, pris au collet, trappés, sans aucune sélectivité, se rongeant les os des pattes pour tenter d'échapper à leur atroce captivité, victimes d'hémorragies, de gangrène, proies immobilisées, livrées à leurs prédateurs, dévorées par les fourmis, mourant de faim, de soif, de peur !

Tant de douleurs inadmissibles au nom d'une mode, d'une décision péremptoire prise sans état d'âme par ceux qui se font appeler « les grands couturiers ».

Depuis peu, un nouveau commerce faisait rage : on travaillerait les peaux de chats et de chiens, importées des pays asiatiques.

Scandaleux !

Aucune loi française ne s'oppose à ce trafic.

Elle avait comme un vertige, se souvenant des images visionnées : cages de bambous entassées les unes sur les autres, exiguës, sales, remplies de petits chats de toutes les couleurs, miaulant à fendre l'âme, se grimpant les uns sur les autres, tentant de s'enfuir, affamés, effrayés, puis l'homme avec la fourche qui en prenait un au cou et le pendait au milieu des autres, à même la cage, jusqu'à ce que mort lente s'ensuive. Et les yeux exorbités, les petites pattes se débattant dans tous les sens, le petit museau étouffant, la langue sortie, les cris, la mort sous les rires des Asiatiques, ravis du spectacle.

Cruauté inadmissible, douleurs hallucinantes !

Elle en eut les larmes aux yeux. Son mépris ne faisait que croître au fil du temps. Elle ne pouvait imaginer que des êtres dits humains puissent se livrer à de telles exactions, de pareilles horreurs, elle ne pouvait que leur vouer une haine viscérale.

Sans oublier le sort réservé aux chiens, entravés, les pattes liées derrière le dos, une boîte de conserve en guise de muselière, laissés en plein soleil, écrasés dans des cages, suffocants, paralysés, livrés à une clientèle friande de leur chair, qui allait les pendre et les battre jusqu'à ce que mort s'ensuive pour attendrir la viande, dépiautés encore vivants, puis ébouillantés sous les yeux agonisants de peur des autres chiens voués au même sort tragique. Les peaux aux poils volumineux seraient vendues comme «loup des Carpates», les autres iraient au rebut.

Pourquoi Dieu permettait-il d'aussi odieux comportements ? Parfois elle doutait de son existence, «Lui» qui n'était que beauté, pourquoi admettre de pareilles injustices ? Comment lutter contre ces cruelles traditions ancestrales ?

Elle avait pourtant essayé, en vain, de dénoncer mondialement ces coutumes en jetant l'opprobre sur la Corée, profitant de la Coupe du monde de football en juillet 2002. Il y eut quelques rebondissements, elle reçut quelques menaces de mort de la part des Coréens, puis plus rien !

La lâcheté humaine est sans limite.

Reprenant son bâton, elle se mit à descendre la colline, suivie de ses chiens heureux et de ses chats cabriolants. C'était l'heure où les oiseaux, délivrés de leur torpeur, sillonnaient le ciel en tous sens. Elle s'arrêta, contempla, respira, profita.

C'était magnifique !

Elle serra contre son cœur le tronc du vieil arbre noueux qu'elle aimait. Elle puisait en lui la sagesse qu'il lui prodiguait, mélange paradoxal de son écorce brute et rugueuse contre sa peau douce et tendre. Renforcée dans ses croyances un instant mises en doute, elle ne put nier l'existence d'un Dieu créateur de tant de beautés. C'est légère qu'elle alla à la rencontre de ses chèvres coquines pour le câlin quotidien.

21

Et l'Art, l'art contemporain, parlons-en un peu de ces hallucinantes horreurs qu'on nous fait gober comme «chefs-d'œuvre»!

Dans tous les domaines, l'art est devenu de la merde au sens propre (si je puis dire) comme au sens figuré. De la merde, il y en eut d'exposée en petits tas desséchés, accompagnés de serviettes hygiéniques usagées et de préservatifs entrecroisés, formant les sculptures du nouveau millénaire, acclamées par tous les connards de la jet-set, par les grands experts, par tous les trous du cul, locomotives de ce qui doit être considéré comme «tendance».

Il y eut aussi Herman Nitsch, cet illuminé autrichien qui dépèce les animaux devant la foule extasiée, qui projette les morceaux de viande sur d'immenses toiles vierges alors que le sang coule encore de la carotide dont il remplit des tonneaux dans lesquels des hommes et des femmes nus donneront une vision publique d'une orgie sanglante digne

111

des plus extrêmes folies romaines et qui se termineront sur des croix à l'image du Christ !

À enfermer à l'asile !

Mais porté aux nues par nos plus éminents critiques d'art… !

Et ce Japonais qui voulut exposer à Beaubourg des vivariums remplis d'animaux, insectes et autres reptiles qui s'entre-dévoraient. Jouissant d'une immense renommée dans son pays, il se heurta à la révolte des employés du musée qui firent appel à ma Fondation, écœurés par la lâcheté de leur direction, prête à tout pour attirer un public friand de spectacle macabre et malsain. Tout fut annulé, mais il alla porter ailleurs dans le monde l'image d'un «art» contemporain qui n'est qu'une abjecte et atroce vision d'horreur.

Et cet autre fou furieux qui exposa des cadavres décomposés et à demi desséchés d'animaux déterrés prématurément au nom d'un art résolument novateur !

La planète serait-elle un vaste asile, abritant des déments devenus majoritaires, laissant de côté les lucides comme anormaux ? On se le demande quand on voit à quel point on est pris pour des imbéciles dès qu'on essaye de ne pas se soumettre à une opinion générale.

Autre exemple de l'hypnose collective, le fameux «Bleu Klein».

Ce type, super malin, a trouvé un truc : il barbouille ses toiles d'un bleu monochrome qui est le même que celui des volets de La Madrague, il signe et les vend des millions à des gogos qui s'extasient.

Je me souviens lors d'une visite à Jacques Chirac, à la mairie de Paris, dans son somptueux bureau rempli de boiseries, de tapisseries, de dorures magnifiques, devant la cheminée du XVIIIe aux trumeaux décorés, trônait une table basse en plastique transparent dans laquelle s'enchevêtraient des dizaines de nœuds de ruban, style paquet cadeau sur fond de copeaux bleus, signée Klein ! Une horreur. Et Jacques de me dire qu'il avait eu « la grande opportunité de l'acquérir à un prix fabuleux mais défiant toute concurrence ».

Aujourd'hui, c'est un perroquet vivant, coincé dans une cage minuscule, flanquée de deux palmiers de merde que la mairie de Paris vient d'acheter au prix de... 210 000 euros, aux frais des administrés. Ce qui soulève un scandale sans précédent. Alors que tout va de travers ! Et le cinglé, qui est à l'origine de cette aberration, est à enfermer dans la cage en lieu et place du pauvre perroquet du Gabon, espèce protégée par la Convention de Washington, interdite à la vente, au trafic, à la capture... En plus un magnétophone en boucle n'arrête pas de seriner haut et fort : « Moi, je dis, moi, je dis ! »

Moi, je dis que je suis outrée qu'un animal vivant et encagé soit considéré par le musée d'Art moderne de Paris comme un objet de culture, qu'un connard dénommé « Broodthaers », créateur de cette « œuvre d'art » soit reconnu comme le deuxième plus important après Magritte, qu'un maire ait l'outrecuidance d'acheter, pour une somme fabuleuse, un pareil objet de polémiques, scandaleux fait divers alors que des

Restos du cœur, des centres pour SDF livrés au froid et à la misère, restent sans subventions suffisantes pour faire face aux demandes.

Bertrand Delanoë et son arche décadente !

Delanoë, « Notre Drame de Paris » !

J'allais oublier la Niki de Saint Phalle !

Dieu ait son âme, mais que ses œuvres aillent au Diable !

Encore une fois, il y a de quoi se les prendre et se les mordre !

Dans un bassin près de Beaubourg, on peut admirer ses grotesques sculptures tenant plus d'une ferronnerie ratée, d'un arrosage automatique mal foutu et d'un épouvantail clownesque, que d'un art extrême mis à la sauce moderne.

Et le public de se pâmer d'extase...

Ça me rappelle ce conte du Moyen Âge où un tailleur rusé avait réussi à faire croire au roi qu'il allait lui faire un costume somptueux mais invisible. Et je te prends les mesures par ci, et je te découpe l'air par là, et je fais mine de coudre le vide, et je te l'essaye, et tous les courtisans de s'esbaudir devant un roi en caleçon. Et alors le grand jour arrive où le roi, défilant à poil sur son cheval, est salué bas par une foule délirante, admirative de ce costume fabuleux mais invisible, jusqu'au moment où une petite fille crie : « Le roi est tout nu ! Le roi est tout nu ! »

Je ne suis plus une petite fille mais je crie au sacrilège !

Ils vous prennent tous pour ce que vous êtes !

Et c'est bien fait !

On ne peut pas éternellement subir une pression médiatique, politique, artistique sans se révolter, ou alors on est demeuré ! J'entends d'ici tous les bien-pensants qui vivent grassement de ces illusoires œuvres culturelles. Les malfaisants qui prônent l'inesthétisme facile et graveleux en lieu et place de véritables génies, mis volontairement dans l'ombre.

Tout ce qui est contemporain est affreusement et prétentieusement moche.

*

L'architecture, parlons-en !

Des blocs de béton, inhumainement immenses, des tours de Babel uniformément dépersonnalisées, hygiéniquement et salubrement conformes aux normes mondiales, dénuées de tout charme, de toute chaleur humaine.

Des élevages intensifs pour humains déshumanisés !

On se bouscule au portillon pour faire partie d'une élite qui bénéficiera d'un F2 au 50ᵉ étage ! Gigantesques clapiers à lapins où la moindre panne électrique devient un drame, amplifié par des médias avides de sensationnel. Je n'ose pas parler des églises contemporaines, espèces de bunkers flanqués de cheminées d'usines en béton et acier, tenant lieu de clochers ! C'est à pleurer. Comme la cathédrale d'Évry que l'on pourrait confondre avec un incinérateur d'ordures.

C'est lamentable !

Alors que des sommes pharaoniques sont mises à la disposition de constructions massives de mosquées, qui elles, restent fondamentalement classiques, imperturbablement à l'image non corrompue d'un modèle définitivement choisi et toujours recopié sans la moindre entorse à une architecture musulmane ancestrale. Exemple à méditer...

*

La musique même combat !
De Pierre Boulez porté aux nues à Béla Bartók.
Inharmonieuse cacophonie d'instruments volontairement détonnants, crissements inaudibles de notes entremêlées, portant au paroxysme des décibels insupportables pour les oreilles, pour l'âme !

La danse contemporaine, pauvre danse, succession de contorsions disgracieuses, de coups de pieds au cul se terminant en épilepsies collectives, de grimaces, de jambes tordues, de bras raidis, de têtes de massacre, de dos bossus, une cour des Miracles devenue « troupes subventionnées » qui, de villes en villes, proposent, sous le terme de ballets, des chorégraphies myopathiques !
Quant au théâtre, dépouillé de tout décor, de tous costumes, ayant pour tout accessoire des caisses de carton et pour tout dialogue un chapelet de lieux communs tirés de notre quotidien lamentable, hurlé par des comédiens au laisser-aller, physique et moral, redoutable, il nous fait honte ! Même de grands classiques comme *Phèdre* (inaudible) par Carole Bouquet

rasée de frais, ou *L'École des femmes*, trahissent l'idée originelle de l'auteur, à en devenir ridicule, scandaleusement violent sans aucune excuse. Pourtant la base intouchable de notre culture.

Et puis l'arrivée à la Comédie-Française d'un auteur algérien, Kateb Yacine, avec chants islamiques et jargon du cru !

Et tout le reste est littérature.

Romans pornographiques, autobiographies partouzardes, pédophilies au grand jour. Le cul, le cul, le cul sur l'air des lampions, notre littérature contemporaine est devenue un vide-couilles national, un bordel inépuisable, un exhibitionnisme d'une vulgarité illimitée, doublée d'une décadence inacceptable. Ces livres font les best-sellers des éditeurs les plus renommés de la place de Paris.

Mais à part ça, Madame la Marquise…

Tout va très bien, tout va très bien !

XXII

lle ne jouait pas à la fermière, elle faisait réellement partie d'un monde animal qui la différenciait des autres. Entourée par les biquettes, elle faisait penser à «Manon des Sources» avec ses longs cheveux et son bâton... Même son visage retrouvait dans ces moments, la luminosité de sa jeunesse.

Contrairement aux moutons, les chèvres étaient douées d'une intelligence fine qu'elle appréciait énormément. Leurs grands yeux fendus en amande la fascinaient. Certains les trouvaient diaboliques, ils étaient simplement malins dans le sens rusé du mot. S'instaurait entre elles un dialogue des plus étranges, entrecoupé de friandises et de caresses. Elles étaient gourmandes et ne s'en laissaient pas conter pour resquiller le petit gâteau tendu à une voisine trop lente. C'était un méli-mélo de cornes, de museaux, de barbichettes, de bêlements de joie ou de protestation. Toute une complicité qui la transportait dans un univers féerique d'où elle aurait aimé ne jamais s'échapper.

Elle se souvient des nuits qu'elle avait passées dans la paille de la bergerie, veillant une vieille chèvre mourante, ou une autre prise d'un ballonnement qui lui fut fatal. Aucun vétérinaire compétent ne voulut se déplacer, elle dut assister impuissante à leur mort. Leur courage lui fit découvrir une dignité animale, une acceptation, une soumission dont elle se souvint dans ses propres épreuves. Les symptômes douloureux étaient similaires chez les humains et chez les animaux, les râles et les spasmes aussi, la mort également. Son dégoût de cette fin inéluctable contre laquelle elle se battait toujours en vain, l'obsédait. Elle y pensait sans cesse, craignant le pire à la moindre alerte, déployant tout son savoir-faire, tout son dévouement, ameutant les uns et les autres, alors qu'il ne s'agissait que d'un malaise passager.

Les oies, à leur tour, vinrent réclamer leur part, à renfort de cris aigus et de becs ouverts. Elles étaient rigolotes, et beaucoup moins agressives avec elle qu'avec d'autres. Une en particulier lui était très attachée et venait lui prendre délicatement dans la main le petit bout de pain, sans pincer, ni serrer. Cette malheureuse avait eu une tumeur à l'aile, grosse comme une orange, il fallut l'amputer. Elle crut la perdre car rares sont les vétérinaires spécialistes en ablation sur des oies. Mais la « Zoie-Zoie » survécut et devint d'une extrême reconnaissance.

Depuis c'est elle qui mène le troupeau en tant que chouchoute !

Elle pensait avec désespoir que ces mêmes oies allaient, partout en France, particulièrement dans le

Sud-Ouest, être gavées de manière inhumaine jusqu'à ce que leur foie, malade d'une cirrhose provoquée, devienne la mine d'or des réveillons du monde. Oies et canards allaient subir, d'ici peu, le début d'une agonie monstrueuse et lente qui les laisserait esclaves mourants par le poids surnaturel d'un foie hypertrophié, avançant vers la mort, enchaînés, incapables de se mouvoir, subissant l'immense cruauté humaine, la condamnation suprême pour une gastronomie suprême !

Mais nom de Dieu, pourquoi continuer à se rendre malade en se bâfrant de telle sorte les soirs de réveillon ? Pourquoi tant de communions sanglantes ?

Une immense tristesse envahit soudain son regard.

Certes, elle ne pouvait changer le monde mais elle tentait depuis tant d'années de l'améliorer sans aucun succès. Son impuissance lui procurait des instants de cafard intense et si profond qu'elle eût voulu disparaître céans, ne plus exister. Se dissoudre. Ne plus faire partie intégrante de cette masse humaine régnante et destructrice au nom d'elle ne savait quelle suprématie !

Rappelée à l'ordre par son petit monde protégé, entourée par sa basse et haute cour, elle continua, le regard embué, à distribuer caresses et gâteries comme sur un nuage, à toutes ces petites vies dont elle avait pris la responsabilité et qui lui rendaient au centuple, par leur confiance, tout ce qu'elle leur donnait d'elle-même.

23

J'ai une dent « draculanesque » contre l'injustice française.

Cette justice qui devrait être équitable, sérieuse, qui tient et détient les solutions de tous les problèmes épineux qui lui sont soumis en toute confiance. Elle, qui noue et dénoue les nœuds gordiens qui opposent les hommes, n'est devenue qu'une administration supplémentaire. Un ramassis de fonctionnaires plus préoccupés par leurs « 35 heures », que par le devenir des multiples dossiers en attente depuis parfois des années. Eux qui sont responsables de l'avenir des plaignants, des victimes et des coupables.

Certes, il y a un hic !

Des malfrats de toutes origines s'en sortent avec les excuses des vices de forme ou d'autres bonnes raisons de les laisser, malgré qu'ils soient bien connus des services de police, exercer leurs malversations au nez et à la barbe des bons citoyens que nous sommes. Mais si un « blanc-bec » pointe le bout de son nez dans un dépassement de ligne blanche, au volant de sa 4L, on en fait tout un fromage !

J'ai moi-même été victime échaudée de plusieurs procès, m'étant octroyé le droit de dénoncer les atrocités d'une fête musulmane, l'Aïd-el-Kébir, où, sans vergogne, les sacrificateurs tranchent à tout bout de champ les gorges, offertes par nos fermiers, de tous les moutons disponibles, brebis, agneaux compris, n'importe comment, n'importe où, dans des bains de sang joyeusement fêtés.

Ces mises en accusation successives m'ont coûté cher ; j'ai perdu devant la justice de mon pays, perdu au point de verser à mes adversaires des sommes qui leur permettaient de continuer leur lamentable tradition, illégale aux yeux de la loi, mais déclarée légale religieusement. Depuis quand la religion est-elle dépendante de la République ? Je croyais qu'en 1905, il y avait eu scission du Clergé et de l'État... ?

Oui pour les uns, non pour les autres !

Pourtant nous baissons notre culotte, le cul en l'air et les couilles offertes !

Tiens, à propos, j'aimerais qu'on fasse un sondage !

Qui a des couilles ? Dans quels départements sont-elles les plus développées, dans quelles catégories ? De 15 à 30 ans ? De 30 à 70 ans ? Ce serait passionnant de voir à quel point bon nombre de Français sont émasculés. Rien qu'à voir leur tête de fesses ramollies, on imagine la suite...

Alors «Cocorico», c'est pour quand ?

Le fameux coq, notre emblème national, est devenu un chapon eunuque ! Eh oui ! Les bonnes femmes de France ne doivent pas prendre leur pied tous les jours...

«Viens Poupoule…, viens Poupoule…», c'est du passé…!

*

Et les prud'hommes!

Parlons-en de ces «enfoirés» (comme dirait Coluche) qui délibérément donnent tort à tout ce qui a un rapport avec le patronat. Je viens d'en être pour la énième fois la cuisante victime. Pourtant mon honnêteté fondamentale vis-à-vis de mes gardiens, qui furent au fil des ans des fouteurs de merde à Bazoches, m'autoriserait à être prise en considération. Non, loin de là, j'ai beau prouver ma bonne foi par A + B, par huissier, photos, témoins et tout ce qui les enfonce, je perds régulièrement contre ceux qui me traînent devant ces prud'hommes. Parce que je suis la «patronne», cette vermine qui exploite les pauvres esclaves jusqu'à ce que prud'hommes s'en suive!

Non seulement, j'ai dépensé cuir et poil pour remettre, après leur départ, la propriété en état, mais encore je leur dois des indemnités parce que le licenciement n'est pas conforme.

Conforme à quoi? À qui? À des types qui ne foutaient rien, vous insultaient, et qui recevaient dans votre maison, votre piscine, buvaient votre vin, votre champagne, ne s'occupaient pas de vos animaux et réclament des indemnités?

Mais que devient-on? Esclaves de nos employés!

Mais si nous n'existions pas, ils n'auraient aucun travail, ces incapables dont on ne peut se débarrasser.

Tant de personnalités, bien connues du public, de la politique, des médias passent au travers des mailles du filet de la justice, pendant que d'autres, boucs émissaires d'une époque révolue, ayant dépassé l'âge légal d'une incarcération, sont pris pour cible par une coalition multipolitique, multimédiatique, bien-pensante et politiquement correcte.

Comprenne qui pourra !

Mais moi, je trouve ça inadmissible, d'une injustice crasse, médiocre, lamentable.

Nous sommes entourés de salopards qui font des horreurs, sang contaminé, emplois fictifs, trucages de matchs, soudoyages de toutes sortes, argent blanchi, etc. Tous ces mecs protégés par l'immunité parlementaire.

Une honte !

Les ordres sont les ordres.

Les juges obéissent aux ordres. Les parlementaires obéissent aux ordres. Les politiques obéissent aux ordres. Les gouvernements obéissent aux ordres. Mais ces ordres mondialistes, mafieux, mènent le monde, la planète. Ils nous mènent à une détérioration sans appel.

La force maléfique est en marche, hélas !

XXIV

C'était l'heure devenue exquise où elle alla se plonger dans l'eau tiède et ombrée de sa piscine. Nue, entourée par les algues mouvantes de ses cheveux, elle lavait son corps et son âme de toutes les souillures accumulées, abandonnée à la fraîcheur de ce bain purificateur, elle s'y roulait sur elle-même dans une extase totale.

Plus jeune, elle avait été sirène, Roussalka des mers, chantant à moitié nue sur des rochers, attirant les bateaux qui s'abîmaient, laissant leurs passagers dans la détresse d'une avarie. Cela la faisait rire et son rire ensorcelait d'autres victimes, à tel point qu'un réparateur vint installer son «ship's chandler» non loin et fit fortune en peu de temps.

Elle avait plongé nue au milieu d'amphores romaines, les réveillant après des milliers d'années, les prenant dans ses bras telles des «belles à l'eau dormant». Aidée par ses amants, elle en avait ramené deux chez elle. C'était (et c'est) interdit, mais les interdits de ce style excitaient ses envies sans limite d'aucune sorte. Elle adorait être en contradiction avec toute réglementation, elle était sauvage, inapprivoisable, libre de toute contrainte, insolente et heureuse de l'être !

La vie, le temps, les ans, les épreuves l'avaient cassée, obligée à rentrer dans le rang, harcelée par les règles, la loi, l'administration. Elle avait fait allégeance et ses révoltes ne concernaient maintenant que les animaux.

Mais au fond d'elle-même, dans les replis secrets et insondables de son subconscient et de son inconscient, lui restait cette marginalité, cette liberté entravée mais sous-jacente, cette soif de pureté intègre, cette passion dévorante d'un sublime auquel elle aspirait encore sans jamais l'atteindre. La perfection n'étant pas de ce monde, elle tendait à y accéder dans l'univers qu'elle s'était tissé au fil du temps, inaccessible aux autres dont elle seule détenait le sésame.

Assouvie par ce bain de jouvence et de souvenirs, après avoir sauvé trois guêpes et une dizaine de mouches d'une noyade certaine, elle dut s'allonger sur la margelle, entourée de ses chiens s'ébrouant après la baignade, et des chats prudents, cachés alentour. La vie, vue à l'horizontale, prenait des dimensions différentes, les arbres aux longues branches étaient autant de bras protecteurs comme dans un conte de fées. Les rares nuages, petites boules cotonneuses, déformés par une brise insoupçonnable, se mettaient à ressembler à un museau de chien ou à un œil immense, immédiatement changés en silhouette longiligne qui s'évaporait dans la chaleur de cette longue soirée d'été.

Puis elle crut apercevoir comme l'esquisse d'un être ressemblant à un singe qui se déforma mais lui laissa un sentiment d'une extrême acuité. Les yeux fixés sur le ciel, elle revit les images de ces animaux merveilleux, proches de l'Homme, exterminés un peu partout dans le monde sans aucun scrupule par des humains avides de génocides immondes. Pauvres bêtes inexorablement chassées, meurtries, capturées, assassinées, prises en otage, incarcérées, vendues, dépecées, mangées en viande de brousse, trépanées sur des tables de restaurants asiatiques où, vivantes, on plonge en elle des baguettes pour leur sucer le cerveau, exposées en trophées, servant de cobayes dans les laboratoires du monde, prisonnières des zoos, attraction des cirques, des ménageries où, croupissant derrière des barreaux, beaucoup se laissent mourir.

Elle avait été belle, très belle !
Belle à damner le monde, mais cette apparence physique n'était pour elle qu'une superficialité qui prenait ses racines au plus profond d'elle-même. Elle se mettait donc facilement en lieu et place de tous les animaux martyrisés et ressentait avec eux les affres de leurs conditions. Leurs douleurs l'atteignaient jusqu'aux pleurs, incomprise par ceux qui l'entouraient.

Dernièrement, elle avait été témoin d'une horreur supplémentaire en Indonésie à Sumatra. Des hommes, armés de tronçonneuses, coupaient les arbres sans aucune sélection, afin de déboiser une jungle promise à la population pour une culture agricole subventionnée par l'État. Or au sommet de ces arbres se réfugiaient des femelles orangs-outans accrochées à leurs petits. Lorsque l'arbre s'abattait, la femelle affolée, tentant de protéger son bébé, se montrait d'une agressivité toute impressionnante superficiellement... mais incapable de se défendre vis-à-vis de ces hommes ricanants, puissants et armés de ces redoutables tronçonneuses. Alors on les découpait en rondelles, vivantes, hurlantes, sanglantes victimes, martyres de chair, mamans d'un petit à protéger à tout prix, subissant une loi imposée par l'homme sans conscience, inhumain dégueulasse, immonde produit d'une force terrifiante contre une faiblesse désarmée. Le petit, revendu à différents trafiquants, deviendra, s'il ne meurt pas, un cobaye de laboratoire, un animal exposé en zoo, un numéro de cirque, ou s'il a de la chance, sera repris par une association merveilleuse qui essaiera de lui redonner le goût de vivre en lui inculquant les bases élémentaires qu'aurait dû lui apprendre sa mère.

Il en était de même pour les chimpanzés, si proches de l'espèce humaine que leur ADN est à un point près le même que le nôtre. Et pourtant que de sévices leur faisait-on subir, d'immondes détériorations, d'horribles sacrifices sur l'autel de la science, en leur inoculant le sida, en les découpant, les vivisectionnant, les expérimentant, les laissant horriblement mutilés, désespérément agonisants, cobayes épouvantés d'une science sans conscience, souffrance quasi humaine, pour les chercheurs !

Souffrance surhumaine pour les êtres de cœur !

Les gorilles avaient sa préférence, leurs existences fragilisées malgré le dévouement de Dian Fossey qui en mourut. Le commerce atroce dont ils font l'objet sur les marchés du Rwanda : mains coupées en cendriers, têtes empaillées en trophées, familles décimées, assassinées, petits vendus, adultes chassés, tués. Tout ça lui donnait envie de vomir, vomir cette condition d'être humain.

Robots scientifiques insensibles, chercheurs dénués de toute humanité, motivés par l'unique but d'une gloire qui leur apportera peut-être le prix Nobel ! Qui mènera leur laboratoire à une médiatisation mondiale, qui rapportera des millions de dollars à un sauveur de l'humanité, à un pourvoyeur de zoos, de cirques, de labos ! Mais a-t-on le droit de sauver l'humanité (ou de gagner sa vie) au prix d'une telle souffrance animale ?

Où commence l'Homme ?

Où finit l'animal ?

Le tout est lié, le tout fait partie d'une chaîne dont nous ne sommes qu'un maillon.

En se retournant, elle put observer les fourmis qui grouillaient sur la pelouse. Elles aussi avaient leur place d'ouvrières infatigables, se mettant à plusieurs pour traîner jusqu'au bout des charges dix fois plus grosses qu'elles. C'était émouvant de les voir se crever à la tâche, allant, venant, se croisant en files régulières, imperturbables. Petites vies sans valeur mais si vaillantes, au service d'une communauté, socialement et si méticuleusement organisées. Elle n'aimait pas particulièrement les insectes, mais elle les respectait énormément. Leur va-et-vient incessant lui rappelait les autoroutes bondées au départ des vacances vues du ciel.

Après tout, nous n'étions, nous autres humains, que des fourmis affairées, nous rendant d'un point à un autre, obstinément dirigés vers un objectif dérisoire, inutile, ridicule, mais réglant nos vies au rythme d'un emploi du temps essentiel.

25

Je suis contre l'islamisation de la France !

Cette allégeance obligatoire, cette soumission forcée me dégoûtent.

Me voici, peut-être, encore fragilisée par l'ombre d'un procès, mais il n'est pas né celui qui m'empêchera de m'exprimer !

Nos aïeux, les anciens, nos grands-pères, nos pères ont donné leurs vies depuis des siècles pour chasser de France tous les envahisseurs successifs. Pour faire de notre pays une patrie libre qui n'ait à subir le joug d'aucun étranger. Or depuis une vingtaine d'années, nous nous soumettons à une infiltration souterraine et dangereuse, non contrôlée, qui, non seulement ne se plie pas à nos lois et coutumes, mais encore, au fil des ans, tente de nous imposer les siennes.

Pourtant depuis la nuit des temps, depuis le terrifiant massacre de la Saint-Barthélémy, tout s'était harmonisé entre les différentes religions : les protestants, les juifs, les catholiques pratiquaient leurs cultes sans problèmes d'aucune sorte, dans un respect et une discrétion mutuelles. Des musulmans devenus français profitaient des rares mosquées sans nous éclabousser de leurs traditions. Ils retournaient pratiquer dans leur pays ou alors ils essayaient d'oublier leurs coutumes par respect pour leur patrie d'accueil.

C'était normal, sans problèmes.

Chacun fait ce qu'il veut chez lui.

C'est respectable même si parfois c'est un peu, même beaucoup cruel, mais… !

Tout allait pour le mieux dans le meilleur des mondes possible.

Mais petit à petit des égorgements sauvages de moutons furent découverts lors de l'Aïd-el-Kébir, au coin des routes, dans des cours d'immeubles, dans des baignoires, sur des paliers. On s'émut de ces mœurs barbares, on porta plainte, on dénonça ces pratiques inadmissibles qui ensanglantaient les habitations, obstruaient les vide-ordures de peaux, d'os, de crânes sanguinolents.

Sans succès !

La maréchaussée, la police, le ministre de l'Intérieur, responsable des cultes, restèrent sans réaction. Chaque année, les massacres illégaux de moutons sacrifiés lors de cette tradition prirent de plus en plus d'ampleur. Des fermiers, avides de gagner de plus en plus de fric avec cette nouvelle aubaine, vendirent leurs moutons à prix d'or et louèrent leurs champs en jachère devenus abattoirs musulmans aux plus offrants. La campagne de France se gorgeait, ce jour-là, du sang versé par les milliers de moutons égorgés, les uns devant les autres, par un chef de famille maladroit qui s'y reprenait souvent à plusieurs fois avant de couper les deux carotides.

Une boucherie atroce, un désastre, une horreur !

Aujourd'hui ils ont eu le dernier mot !

Leur «fête» est annoncée par les journaux télévisés.

C'est toujours pareil, on tente de les diriger vers les abattoirs municipaux trop exigus pour le nombre incommensurable de bêtes à abattre. Des massacres continuent de souiller les campagnes, clandestinement ou avec l'aval des dérogations distribuées par les préfets.

L'Aïd-el-Kébir est devenue la Fête de la Fraternité !

*

Qui se souvient du 11 septembre 2001 à New York, la destruction maléfique, atroce, des Twin Towers ? Des milliers de morts ? Des pompiers martyrs ? Les passagers des avions pris en otage, morts dans des conditions d'épouvante indescriptibles ?

Le temps a étendu son voile sur la répulsion morbide ressentie... C'est un souvenir pénible, mais les touristes se pressent sur place pour voir... !

Macabre attirance humaine pour le pire !

Toute cette invraisemblable, inimaginable tuerie terroriste est revendiquée, exécutée par des islamistes ! Des hommes monstrueux, sataniques. Et tous ces «jeunes» qui terrorisent la population, violent les jeunes filles, dressent les pit-bulls à l'attaque, au combat, tiennent les flics à distance, leur crachent dessus, les défigurent, ce sont eux qui, au moindre signal donné par leurs chefs, nous feront subir à l'improviste ce qui s'est passé à Moscou dans un théâtre, si anodin à première vue.

Il faut être des triples cons pour ne pas l'admettre.

XXVI

Elle éprouva soudain une immense fatigue, un intense désarroi, une douleur intérieure, « des bleus à l'âme » comme dirait Sagan.

Cela lui arrivait de plus en plus souvent...

Les liftings de l'âme et du cœur n'existaient pas encore, pourtant ce sont eux qui seraient les plus efficaces. L'apparence trompeuse d'une jeunesse de vitrine n'effacerait jamais les souffrances que le temps inflige. Ces accumulations de détresses, de peines, de souvenirs, de bonheurs fragiles ou intenses et fugitifs, ces explosions de joies qui comme les feux n'étaient qu'artifices, ces douleurs profondes, ces arrachements qu'était la mort des êtres si chers, si irremplaçables ; tout ce qui faisait une vie et défaisait l'instant.

Chaque jour est une petite existence avec son évolution vers la nuit.

L'heure présente était, malgré son été ravageur, l'automne du jour et elle le ressentait car elle-même avait traversé les saisons de la vie les plus joyeuses et se retrouvait confrontée au déclin. Cette mort inévitable, si mystérieuse, si atroce dans la finalité inexorable qu'elle infligeait à nos corps. Ce but inéluctable vers lequel nous allions tous à plus ou moins grands pas. Toutes ces batailles livrées, perdues ou gagnées pour en arriver à ce point final!

Quelle farce!

Tant de querelles de clocher, tant de salive dépensée à parler pour ne rien dire, de ceci, de cela, des uns et des autres, avec haine ou amour, tant de mal à faire le bien! Tant d'acharnement à faire le mal! Tant de mesquineries accumulées pour pourrir la vie. Tant de règlements légaux, de paperasses administratives, de jugements, de souffrances subies, de soumissions morales et physiques à la mégalomanie, au sadisme de ceux qui se croient invincibles. Tout ce panier de crabes, ce bouillon de culture, ces champs de batailles que la vie inflige à ceux qui naissent pour en mourir.

Son regard se porta sur le petit cimetière marin, qui de l'autre côté de la baie abritait la tombe de ses parents, de ses grands-parents, racines mêmes de sa propre existence, êtres de chair, de sang, créateurs de vies, qui reposaient désormais décharnés, poussiéreux, méconnaissables.

Comment supporter ce qui est insupportable?

Et ses amis les plus chers, ceux qui avaient partagé les moments les plus importants de sa vie, ses indispensables complices du meilleur et du pire: Jicky, Roger, Philippe, Francis, Yvonne, Nicole, Christine, Dany, Michou, Vadim, Michel, tous ces êtres si proches sans lesquels, à une époque, elle ne pouvait pas vivre, qui l'accompagnaient depuis son adolescence, auxquels elle avait donné le meilleur d'elle-même, minuscule contrepartie d'une amitié partagée, fidèle, rare, enrichissante qui l'avait aidée à surmonter bien des tempêtes et des naufrages. Orpheline à jamais de tous ceux qu'elle avait tant aimés.

Comment pouvait-elle survivre ?

Éternelle question sans réponse.

Du reste vivait-elle ou survivait-elle ?

Cette résignation, ce silence, cette solitude la faisait gardienne de souvenirs inoubliables, dépositaire d'années colorées, jaunies par le temps qu'elle avait du mal à remonter.

Debout, son bâton à la main, tel un phare inébranlable, elle tenait à l'intérieur d'elle-même, la lumière vivante de ceux qui s'étaient éteints. Elle serait jusqu'à sa mort leur statue de la liberté, porte-flambeau intemporel de chaleureuse tendresse, de profonde affection, d'amour.

On dit que la mort n'atteint pas ceux dont le souvenir reste présent dans le cœur des vivants. Sa façon à elle de les immortaliser, de vaincre son ennemie la plus redoutable, en les portant dans sa chair, enceinte à jamais de leur souvenir. L'ombre de sa vie s'agrandissait, le chagrin et les larmes mouillaient trop ses yeux pour qu'elle puisse distinguer leur lumière.

« Une vie ne vaut rien, mais rien ne vaut une vie » a dit Malraux dans *La Condition humaine*.

Constat positivo-négatif ou négativo-positif comme la bouteille à moitié vide ou pleine.

À propos, c'était l'heure du champagne, elle se dirigea vers le Frigidaire, se servit une flûte de remonte moral, cette blondeur pétillante, ce breuvage potion magique qu'elle tint un instant à bout de bras, tel le flambeau du souvenir, trinquant spirituellement avec ceux qui partageaient jadis ces moments de joie qu'elle assumait désormais seule.

Mais était-elle vraiment seule ?

La quatrième dimension existe, les vies parallèles aussi, elle se sentait protégée et croyait en l'incroyable.

27

Comme tout a changé en cinquante ans !

Je viens de regarder une rétrospective de Jacques Tati à la TV sur Arte : *Jour de fête*, *Les Vacances de monsieur Hulot*. Il y a peu de temps, j'eus la surprise de revoir en version « colorisée » mon premier film avec Bourvil : *Le Trou normand*. Quelle nostalgie de replonger dans ce temps perdu à jamais, si proche mais si lointain. Que s'est-il passé pour qu'une telle métamorphose s'opère comme un tour de passe-passe dans des délais aussi brefs, d'une manière aussi radicale, à notre nez et à notre barbe, insidieusement mais hélas définitivement.

C'était un autre monde !

Aux dimensions humaines, simple, charmant, sans violence, ni drogue, ni pornographie, sans consommation à tout prix, un peu naïf mais qui laissait le temps au temps.

Dans les campagnes, des vaches « raisonnables » regardaient passer des trains à vapeur qui ne roulaient pas à des vitesses record, les passages à niveau étaient actionnés par des gardes-barrières qui cultivaient des roses trémières devant la porte de leur cuisine. Les facteurs, encore en uniforme, faisaient leurs tournées à vélo, par n'importe quel temps et buvaient le petit coup à chaque arrêt fréquent. Les écoliers, en blouses grises et en rang de taille, traitaient leurs instituteurs et leurs parents avec le respect qui leur est dû. Les paysans, qui étaient maîtres chez eux, cultivaient leurs terres, élevaient leurs bêtes, vendaient leurs produits du terroir, leurs légumes, leurs fruits, leur lait sans se soucier des coopératives et des normes draconiennes imposées par Bruxelles.

Les poules picoraient en liberté, les cochons se vautraient dans la fange, les vaches avaient leurs pré-noms et répondaient à l'appel, les moutons serrés les uns contre les autres, allaient au pré, surveillés par des bergères qui tricotaient des chaussettes ou se faisaient trousser par le mâle dominant du patelin ! Les chats se reproduisaient sans drame, chassant les souris, utiles et discrets, les chiens, bâtards et intelligents, gardaient leur monde à deux et quatre pattes !

Tout se faisait en bonne intelligence dans une harmonieuse tradition aux finalités cruelles certes, mais laissant au bétail la possibilité de vivre sa courte vie de manière décente et humaine.

Encore, à cette époque, les chevaux indispensables tiraient les charrues, participant aux étapes quotidiennes de la vie jusqu'au dernier voyage de celui qu'ils menaient au pas du corbillard jusqu'au cimetière. Ils n'étaient pas à « l'embouche », exploités pour leur viande, c'eût été sacrilège !

Il n'y avait pas encore de progrès meurtrier, ces élevages intensifs, ces batteries de la mort où les animaux sont engraissés dans les plus brefs délais, dans des conditions inhumaines avec des produits de synthèse et des substances chimiques, enserrés dans des cages de contention si exiguës qu'ils ne peuvent se tourner sur eux-mêmes !

L'enfer...

Sans jamais voir le jour, jamais renifler la terre, l'herbe, jamais courir, jamais se gratter, jamais se côtoyer, séparés de leurs bébés dès la naissance, délivrés par le seul départ à l'abattoir, et dans quelles conditions... encore plus infernales, encore plus atroces, encore plus pénibles.

Il n'y avait pas encore la découverte scientifique de l'insémination artificielle. On menait la vache au taureau, c'était un événement, on menait la jument à l'étalon avec la complicité du boute-en-train, et la truie au verrat ; les petites brebis se soumettaient au bélier, les chiens restaient accrochés aux chiennes après avoir copulé, on leur jetait des seaux d'eau pour les séparer, les chats qui gardaient leurs attributs reproducteurs de gros matous malins et coureurs n'en finissaient pas de miauler leurs amours sur les toits, empêchant tout le monde de dormir.

Il n'y avait pas de trayeuse électrique où le geste ancestral s'est transformé en mécanique à la chaîne, privant la « laitière » de la douceur de la main sur ses pis gonflés et douloureux.

Au nom de la rentabilité, de la production massive, de l'industrialisation intensive, de la consommation à outrance, quel triste constat d'échec !

La radio berçait nos jours et nos nuits.

Zappy Max, Raymond Souplex et Jane Sourza nous divertissaient, André Claveau nous charmait avec *Domino*, *Cerisiers roses et pommiers blancs*, Charles Trenet nous enchantait follement, Line Renaud nous ravissait avec sa *Cabane au Canada* et Jean Sablon nous séduisait.

La télé n'existait que pour de rares privilégiés avec sa chaîne unique qui se terminait à onze heures du soir. On faisait la lessive dans de grandes lessiveuses qui bouillaient le linge familial une fois par semaine. Il y avait un téléphone de bakélite noire chez ceux qui estimaient sa présence indispensable. On se lavait les cheveux au «Dop, Dop, Dop». Tout le monde adoptait *Dop*. La crème *Simon* s'étalait sur tous les visages et les rouges à lèvres *Baiser* permettaient le baiser !

Les petits commerçants notaient nos achats sur leurs ardoises que l'on réglait en fin de mois. Les marchandes des quatre-saisons poussaient leurs charrettes débordantes de primeurs sur les trottoirs, les vitriers croisaient les hommes sandwichs, premiers panneaux publicitaires appelés «réclames».

On allait au cinéma une fois par semaine voir Claude Dauphin et Danielle Darrieux, Martine Carol et Jean Marais, Suzy Delair et Louis Jouvet dans des films en noir et blanc. On découvrait les premiers westerns américains en Cinémascope et Technicolor qui nous en jetaient plein la vue. On portait les fameux maillots *Réard* qui donnaient au corps des allures de star américaine, boudinée et baleinée pour aller à la plage. On découvrait le whisky... à gogo (ou pas), on portait encore des bas et des porte-jarre-telles en dentelle. Le nylon nous émerveillait, il n'avait pas besoin de repassage.

Il y avait peu de voitures, aucun embouteillage nulle part, on se garait n'importe où, n'importe comment, on prenait la nationale 7 pour descendre dans le Midi où Saint-Tropez encore inconnu était désert.

On connaissait ses voisins de palier.

On se saluait, on se fréquentait. Des concierges, sourds et vieux, gardaient les immeubles dans lesquels on rentrait comme dans des moulins, priés de dire son nom après 22 heures et de s'essuyer les pieds avant d'entrer. Aucun code, aucune sécurité pour nous protéger d'un danger inexistant. Aucune délinquance, aucun « jeune » voyou, aucun vandalisme d'aucune sorte.

On allait au catéchisme. On faisait sa première communion sans se soucier d'un éventuel, aléatoire, inimaginable dérapage de « l'islam de France » !

L'accent parigot gouaillait dans les faubourgs. Gabin et Chevalier en firent une gloire !

On était en paix !

On venait de l'acquérir au prix du sang. On savourait cette liberté, cette réelle liberté bien méritée à tous les sens du terme. La vie était belle, la France convalescente était belle, authentique, patriotique, chauvine.

Les cloches sonnaient la messe du dimanche.

Les curés de campagne tenaient leurs ouailles en haleine du haut de leurs chaires, on disait la messe en latin, tourné vers le Christ, sans micro. Les soutanes identifiaient les représentants de Dieu. Les cornettes des sœurs rassuraient les pensionnaires et apaisaient les malades. Les artisans fleurissaient, il y avait du travail pour tout le monde, les loisirs et les clubs de vacances n'avaient pas encore pourri les mentalités.

C'était le calme avant la tempête.

C'était le bonheur, dans le meilleur des mondes possible.

XXVIII

*E*lle se mit à ouvrir son courrier quotidien et abondant.

Les lettres venaient de tous les coins du monde, dénonçant des exactions internationales que tous les peuples faisaient subir aux différents animaux-otages du globe. C'était parfois pénible et les détails douloureux la laissaient meurtrie.

On lui écrivait aussi des déclarations d'amour, de soutien, d'affection, de respect, d'admiration. On voulait la voir, la rencontrer, la toucher comme porte-bonheur, obtenir une réponse, on l'embrassait, on l'aimait, on mettait en elle tous les espoirs, toute la confiance qu'on portait à Dieu pour qu'elle sauve, qu'elle résolve tel ou tel problème urgent mettant en péril toutes sortes de cas déchirants d'animaux en danger de mort qu'elle ne pourrait certes pas résoudre miraculeusement !

La survie des éléphants d'Afrique, braconnés sauvagement depuis que la CITES [1] avait décidé de les

_____

1. Convention sur le commerce international des espèces de faune et de flore sauvages menacées d'extinction.

147

priver de la protection «Annexe I» pour les laisser en «Annexe II», livrés ainsi à la reprise d'un commerce de l'ivoire voté massivement par tous les pays asiatiques et par le Japon en particulier. Ces merveilleux animaux doués d'une intelligence, d'une organisation matriarcale, d'un respect de leurs morts qu'ils enterrent à leur façon, d'une touchante et profonde gentillesse, si pacifiques, étaient une de ses priorités les plus cruciales.

Hélas, qui se souciait des éléphants, de leur triste sort, de leur prochaine disparition, de leur extinction au rythme forcené de leurs exécutions, de leur extermination? Tant de carnages inutiles au nom d'un profit, d'un commerce, tant de vies condamnées au nom d'un marché ultrarentable de l'ivoire, source de mort, d'agonie, de traque, de blessures, de sang, d'effroi, de désintégration de populations, d'éclatements de troupeaux pour aller grossir les stocks de ceux qui traditionnellement sculptent leurs défenses pour les vendre aux touristes.

Avant qu'il ne soit trop tard, y aurait-il une prise de conscience, un sursaut de sagesse collective, qui ouvrira les yeux, le cœur de l'espèce humaine? Lui faisant enfin comprendre que le fait d'exterminer tous les animaux de la planète, au nom d'une rentabilité destructrice et déséquilibrante, ne fera qu'aggraver la condition humaine en déstabilisant la chaîne écologique naturelle et immuable dont nous sommes tous dépendants.

Elle alluma une cigarette et se servit une autre coupe de champagne.

Énervée, elle noyait sa révolte comme elle pouvait. Fallait-il que les hommes soient devenus fous pour ne pas s'en rendre compte, ou alors le faisaient-ils exprès...

Après eux le déluge !

De cette flagrante irresponsabilité d'inertie lui venait son profond mépris pour cette espèce humaine qu'elle ne supportait plus.

Les rossignols chantaient encore, appelant depuis le début de l'été et toutes les nuits, leurs compagnes perdues peut-être à tout jamais... Leurs roucoulades, leurs trilles, leurs coloratures d'opéra l'enchantaient, elle eût voulu voler vers ces appels d'amour, elle qui avait cessé désormais de croire aux jeux que les passions du corps et du cœur lui avaient tant inspirés.

Espoirs absolus trop souvent déçus !

Elle estimait qu'il y avait un temps pour tout, que chaque âge devait se contenter des plaisirs apportés et que l'acte d'amour était réservé à une beauté esthétique qui se ridiculisait lorsque les corps subissaient des ans l'irréparable outrage.

Quoi de plus lamentable que ces vieux tableaux bourrés de DHEA et de Viagra, à la recherche d'une libido perdue, exposant en public, sans pudeur, leurs problèmes sexuels ? Et puis tous ces déballages de sexe avaient fini par lui en donner une indigestion.

Le sexe était devenu synonyme d'exterminations d'animaux soi-disant réputés pour leurs vertus aphrodisiaques, tels les pénis de phoques très prisés par les asiatiques. Les cornes de rhinocéros, eux aussi décimés au nom du sexe extrême-oriental, à croire que ces asiatiques sont dotés d'une impuissance physiologique grave qui pourtant ne semble pas freiner leur reproduction, démographiquement redoutable ! Alors quels records tiennent-ils à battre en puisant leur puissance défaillante dans la vitalité du pénis ou des cornes de malheureux animaux atrocement exterminés pour un but aussi lamentable ?

Si on ne bande plus, on bande plus !

Il n'y a pas de quoi fouetter un chat !

29

Pour terminer en beauté, je dirai haut et fort que l'espèce humaine, comme la France, a ses «hauts et ses bas». C'est Raffarin qui l'a dit!

Il y a des surdoués et des imbéciles.

Il faut de tout pour faire un monde!

Entre eux une méga populace figée à court terme dans son évolution, masse démocratique étouffante qui régit le monde au nom d'une égalité légale et politiquement correcte dans laquelle se retrouvent tous les cons enfin mis en valeur, il était temps qu'il y ait une justice!

Le malheur est que comme la violence attire la violence, la connerie attire la connerie!

Et nous voilà à la botte de cette extraordinaire métamorphose qui porte aux nues ce qui est le plus condamnable.

Car comme l'a dit je ne sais plus qui, il est préférable d'être intelligent et redoutable que bonassement idiot. Ce nivellement par le bas qui donne ses aises à la médiocrité la plus lamentable, donne aussi l'exemple du laisser-aller le plus étendu dans une société où plus aucun effort n'est reconnu ni récompensé.

«Oignez vilain, il vous poindra. Poignez vilain, il vous oindra.»

Les vilains, les tricoteuses (qui ne savent plus tricoter!), les sans-culottes (au sens propre [!] et figuré), ont pris les rênes d'un pays émasculé et décadent où le pire a détrôné le meilleur et où les scrofuleux sont rois. Cour des Miracles européenne, communauté de gueux apatrides, sans papiers, squatters de patries sans frontières, babelisation d'une tour de cons, béats d'allégeance.

Star Academy est devenue le phare d'une génération qui ignore Jeanne d'Arc ou Madame de Staël, qui base son succès sur une «chanson con», brûlant les étapes de ce qui fut adoré.

Tout va trop vite, le temps n'a plus le temps de faire ou de défaire, on le précède.

Des gamines de dix ans chantent en se tortillant des tubes américains, en «yaourt» plus ou moins audible, imitant à s'en décrocher les vertèbres les trémoussements érotico-pornos de Madonna ou d'Ophélie Winter, sous les acclamations d'un public du même âge en délire.

La violence atteint les plus tendres de nos bambins sous la forme monstrueuse des dessins animés japonais qui, à l'encontre de Walt Disney qui nous enchantait avec *Blanche Neige* et *Bambi*, n'ont créé que des créatures d'épouvante, cruelles, inhumaines et cauchemardesques qui emploient les armes virtuelles les plus inimaginables pour se détruire et détruire par la même occasion tout ce que l'enfance pouvait encore conserver d'illusion.

À treize ans, les filles prennent la pilule du lendemain, parce qu'elles ont baisé en oubliant le préservatif, ou parce que la pipe s'est changée en pénétration imprévue. On se tape une fille ou un mec comme un McDo, c'est «tendance»! Tu viens, on se fait une toile? Non on se fait une baise, c'est plus chouette!

Et les rave party?

C'est pas joli de «rêver» à la puissance 20 000, en squattant, dans un brouhaha infernal, des espaces réservés de nos campagnes les plus reculées, saccageant tout sur leur passage. Tas de bons à rien, résidus de bidets, drogués jusqu'à la moelle, juste bons à se dandiner des jours et des nuits, farcis de techno, de produits chimiques jusqu'à la mort, abrutis, hagards, hallucinés. Déchets d'une société dégénérée, incapable de donner à sa jeunesse un but valorisant, les laissant se détruire avec la bénédiction des préfets, des maires, des ministres, du président de la République.

C'est purement et simplement honteux!

Pendant ce temps-là, après l'*Amoco Cadiz*, l'*Erika*, le *Torrey-Canyon*, voilà à son tour le naufrage du *Prestige*, nom prédestiné d'une catastrophe prestigieuse, prévisible depuis trente ans, mais mise de côté, d'autres urgences comme les «35 heures», la «présomption d'innocence», la loi sur la prostitution, ayant occupé nos gouvernements successifs, avec le succès que vous connaissez!

Que notre patrimoine soit souillé, violé, défiguré par toutes ces marées noires ininterrompues, que la faune, les oiseaux meurent englués par centaines de milliers depuis tant d'années, malgré les efforts désespérés des ligues de protection animale débordées et impuissantes devant une telle catastrophe, reste secondaire puisque ne faisant pas partie des mesures prioritaires à prendre en compte par ceux qui nous gouvernent.

Gouverner c'est prévoir !

Or on attend que le drame se produise pour se prendre la tête, envoyer des bénévoles qui s'empoisonnent, alors on délègue l'armée, ce qu'il en reste, le gros de la troupe étant en Côte d'Ivoire, en Somalie, en Bosnie. Qu'attend-on pour expédier sur place les «raveurs-partousards», cela leur ferait de l'exercice, ils pourraient squatter les plages polluées en se rendant utiles ? Et tous les sans-papiers de Sangatte, cela mobiliserait du monde, des bras, des bénévoles qui se feraient entretenir contre un petit boulot !

Qu'en pense le bon peuple ?

On pourrait aussi, comme aux États-Unis, dont nous sommes les caniches dévoués, envoyer les malfrats qui saturent nos prisons, boulets et chaînes aux pieds, ramasser les plaques de fuel et les oiseaux morts. Ils dépenseraient leur énergie à un travail d'utilité publique plutôt que de tenter des évasions à répétitions qui mettent en péril la vie des gardiens et notre sécurité.

Mais serait-ce admis par les «Droits de l'Homme»?

Toutes ces ligues et associations qui attaquent, dénoncent, traînent en justice tout ce qui n'est pas «politiquement correct», tout ce qui n'est pas «pensée unique», au nom d'une haine qui doit être éradiquée, au nom d'événements porteurs de racisme à sens unique. Tous ceux-là sont l'image même de cette haine qu'ils combattent avec assiduité, de cette intolérance qu'ils fustigent. Ils épient, traquent, sont à l'affût du moindre signe, c'est l'Inquisition du XXIe siècle. Sans pitié, ils jugent, condamnent, jettent l'opprobre, crachent leur venin mortel sur tout ce qui sort du rang.

C'est intolérable !

On se croirait revenus aux années d'après-guerre où l'épuration faisait rage ! Où tout le monde dénonçait tout le monde alors que la paix aurait dû réconcilier les hommes déjà meurtris et pardonner leurs amours incontrôlables aux femmes qu'une haine pseudo-patriotique transforma en «tondues».

Quelle lâcheté !

Je n'ai pas fini ! J'en profite pendant que j'ai, pour la dernière fois peut-être, le droit de m'exprimer !

Mon dernier cri !

Certains bien-pensants, gauche caviar ou girouettes tournantes selon le sens du vent, m'accableront, me traîneront dans la boue, me traiteront de vieille ronchonne, obsolète, ridicule, rétrograde.

J'assume ! On ne fait pas d'omelette sans casser des œufs.

*

Pour rendre fous ceux qui me détestent, je vais parler un peu de politique !

Aïe, aïe, aïe…

Cette sacro-sainte politique qui divise ou rassemble comme au foot, qui a ses hooligans, ses dévots, ses détracteurs, ses fidèles, ses traîtres et ses vendus. Pour moi, les deux se valent.

Les Bleus de France et la République française sont aussi mal dirigés, aussi interchangeables dans leurs postes, avec pour seule différence qu'on ne pourrait vendre Sarkozy des millions d'euros au gouvernement hongrois alors que Zidane, après ses pubs et sa défaite, s'en est allé pousser le ballon au Real Madrid pour un bon paquet d'argent.

La politique est ce qu'elle est mais c'est son manque de conviction profonde qui la rend non crédible, inefficace. Je respecte tous ceux qui croient fondamentalement à une idéologie quelle qu'elle soit. Arlette Laguiller est respectable, sincère dans ses propos au même titre que Le Pen, fidèle à ses idées contre vents et marées. Ceux-là sont solides, crédibles, loin des girouettes qui tournent gauche-droite au gré des modes.

Par exemple, « Les Verts » me choquent.

L'écologie est le SAMU de la planète, ses partisans, ses représentants sont les médecins d'un monde malade auquel il est urgent de venir en aide. Porter secours à la faune, à la flore, à l'eau, à l'air, à la Terre fait partie d'un sacerdoce indépendant de toute tendance politique. Les océans, les forêts, les oiseaux ne votent pas, ils attendent, souillés, violés, mazoutés, qu'on les sauve avant de nous entraîner dans leur chute irréversible qui bouleversera à jamais le précaire équilibre sur lequel nous pérorons avec force grands mots et paroles inutiles alors qu'il serait urgent d'AGIR.

Or «Les Verts» se sont alliés à la gauche plurielle. Et la droite? N'a-t-elle pas besoin d'écologistes? Et le centre? Comment peut-on être écologiste de gauche? Ils ont déjà leurs intellectuels pour nous pourrir la vie! Comme si les intellectuels eux aussi se rattachaient systématiquement à un parti plutôt qu'à un autre.

Tout ça est ridicule. Grotesque!

Le plus lamentable c'est que ceux qui sont à la tête de ce parti écologique s'occupent de tout ce qui ne le regarde pas comme les sans-papiers, les mal-logés, les marginaux, les envahisseurs d'églises, etc., mais jamais un mot, une action d'envergure sur les drama-tiques conséquences des marées noires, des oiseaux mazoutés, de la détermination mortelle des chasseurs hors-la-loi, de la disparition d'espèces protégées, de la pollution de l'air, de l'eau, du monde.

Je nique Mamère et sa grande gueule!

Il porte en lui une méchanceté qu'il enrobe dans le papier de soie de ses discours interminables sur des sujets radicalement politiques où aucune compas-sion concernant l'écologie à proprement parler n'apparaît.

C'est le pire! Pourtant ils sont tous pires!

Cette malheureuse Voynet, qui fut ministre de l'Environnement, aussi nulle que notre actuelle Bachelot qui est le pompon du pomponnard dans le genre «Ducon la joie, qui t'a mise là?». Voynet qui n'a rien foutu de ses dix doigts alors que ce ministère est aujourd'hui un des plus importants, des plus graves, des plus difficiles à tenir, vient nous faire pleurer dans les chaumières : inscrite à l'ANPE, elle attend un petit boulot ! Non, je rêve ; elle était anesthésiste que je sache, elle n'a qu'à y retourner, elle est parfaite dans le style «Je vous endors, vous n'y voyez que du feu». La France manque de médecins... !

Mais où se niche la conviction dans tout ça ?

Et notre Jacques Chirac, élu par un immense prix de gros, vainqueur incontestable d'un adversaire bâillonné, menotté, piétiné par une vindicte populaire retournée comme une crêpe !

«À vaincre sans péril, on triomphe sans gloire.»

(Cette phrase me rappelle quelque chose et quelqu'un !)

Jacques que j'aime bien, humainement et amicalement parlant, qui était un maire de Paris autrement admirable que le «Père aux gays» actuel, ne semble pas déterminé dans ses allocutions présidentielles. Ses discours du 14 juillet et du 1er janvier manquent de sincérité. Son prompteur lui dicte les mots qu'il allonge les uns derrière les autres avec une diction crispée. Paroles, paroles, mais rien ne sort des tripes, rien n'est convaincant, discours sans état d'âme. Superficiellement correct ! Par contre, il sait être sublime lorsqu'il défend la paix et tient tête de manière déterminée à la plus grande puissance du monde avec courage et fermeté cette fois !

*

Finissons-en avec la prostitution qui n'est plus ce qu'elle était...

Maintenant faut faire gaffe, car après avoir malaxé une belle paire de miches, on peut se trouver nez à nez avec une somptueuse paire de couilles !

On n'arrête pas le progrès !

Nos bonnes et sympas péripatéticiennes ont été remplacées par des filles de l'Est, des nigériennes, des travelos, des transsexuels, des drag-queens, des mecs porteurs de sida et de bien d'autres promesses ! Tirer son coup sans risque devient un exploit. Les conducteurs de poids lourds qui font «la queue» à l'orée du bois de Boulogne en connaissent un bout. Ce vaste bordel ambulant à ciel ouvert a squatté un des quartiers les plus chics du XVIe arrondissement, super production du «X», au vu et «suce» de tous les regards. Inimaginable partouze payante, exhibitionnisme scandaleux, insalubrité totale, bouillon de toutes les cultures, pornographie internationale, porte ouverte à toutes les exactions, tous les délits.

Qu'attend-on pour rouvrir les maisons, closes par cette imbécile hypocrite de Marthe Richard ?

Toutes les muqueuses offertes bénéficieraient d'une surveillance médicale et sanitaire indispensable à notre époque où toutes les maladies vénériennes nous arrivent portées par ceux et celles qui font commerce de leurs différents trous en contaminant ceux qui les bouchent.

*

159

Nous terminerons ce mur des lamentations avec le clonage.

Dernière trouvaille des apprentis sorciers humains, des scientifiques dénués de toute conscience, des savants fous, d'expérimentateurs d'épouvante. Notre évolution démographique dépassant déjà le seuil imparti à l'espèce humaine, toutes tentatives extranaturelles pour fabriquer de l'humain en laboratoire paraît sortir d'une fiction angoissante.

Et pourtant c'est vrai !

Au même titre que pour les vaches (les malheureuses furent les premières à ne plus aller au taureau), les femmes se soumettent dorénavant à l'insémination artificielle, se privant d'un plaisir charnel irremplaçable. L'acte d'amour que représentait autrefois la fécondation est devenu une intervention chirurgicale douloureuse pour la femme qui, écartelée sur l'autel aux étriers d'acier, reçoit par pipette interposée la semence que son mari vient d'éjaculer en se branlant dans les W.-C. avoisinants. Il manque certes le clair de lune pour qu'une note romantique vienne baigner cette étreinte gynécologique.

Si Monsieur est infécond, il faudra se rabattre sur une banque de sperme où, congelées dans des containers, des éprouvettes contenant des éjaculations diverses et variées seront proposées au couple qui pourra choisir la jouissance glacée d'un individu correspondant de près ou de loin à ce père impuissant de procréation. Quel bonheur de légaliser à ce point l'adultère scientifique, porter le germe d'un inconnu sans en avoir connu les bras, le corps, le souffle.

Violation d'utérus par obstétricien interposé !

Si Madame n'a pas la tuyauterie adéquate pour se livrer à ce genre de partie de jambes en l'air, alors on fera appel à une mère porteuse ! C'est qu'il faudra bien la choisir car c'est elle qui fera tout le boulot contre une belle petite somme qui arrondira ses fins de mois et son ventre.

Mais pas question d'y toucher !

Que deviendrait la science s'il suffisait que Monsieur baise la mère porteuse pour l'engrosser ? Ah non ! Ce serait inconcevable ! Inconvenable ! Incorrect ! Immoral ! Une petite branlette en pensant à Claudia Schiffer, recueillie avec précaution dans l'éprouvette stérile qui passera par le spéculum, hublot béant sur vision de mère accueillante, opération jubilatoire, prémices prometteurs d'un enfant de l'amour !

C'est pas beau le progrès !

Mais ça ne suffit pas.

Il a fallu trouver mieux, se passer totalement de la participation onanique du sexe fort, aller puiser directement de la production à la consommation, au centre des cellules ADN, toute une manipulation qui semble avoir dépassé le stade expérimental, en tout cas sur les animaux. Il sera alors possible de reproduire la réplique exacte, parfaitement conforme d'un individu, modèle immuable d'êtres kaléidoscopiques le représentant à l'infini.

Il me semble avoir le souvenir lointain d'une expérience tentée de manière naturelle par les nazis, tendant à faire se reproduire des individus de race noble

et pure afin de débarrasser le monde d'un inesthétisme malsain et raté...

Classé crime contre l'Humanité.

Serions-nous à la recherche de ce nazisme perdu,
prenant la science, le progrès, la survie d'une humanité sélective comme base de ce nouveau «Fran-
kensteinalisme» qui donnerait à l'Homme le pouvoir
de Dieu?

Certes si cela pouvait éviter toutes ces naissances
d'enfants anormaux dont la vie n'est qu'une lamentable succession d'épreuves, si cela soulageait la
misère, la maladie, l'incurabilité de certains cas...
Mais l'être humain est-il assez sage dans sa folie
mégalomaniaque pour savoir contrôler ce nouveau
pouvoir mis à sa disposition?

Si ces progrès faramineux étaient mis au service
d'une amélioration positive de la condition, de la
connaissance du monde, si les découvertes portaient
l'Humanité vers un devenir meilleur, bref, si toutes
les inventions étaient des espoirs de bonheur, de spiritualité...

Alors elles seraient miraculeuses!

Hélas, c'est surtout pour détruire que le cerveau
humain se surpasse.

En attendant, il ne faut pas oublier que 200 000
avortements ont lieu chaque année en France, que
des centaines d'orphelins attendent et attendront
à la DDASS qu'une loi plus souple facilite enfin une
adoption administrativement moins compliquée, leur
permettant de connaître la chaleur d'un foyer familial. Il en va des humains comme des chiens, qui
espèrent en vain, cependant que les éleveurs agréés

font reproduire des races avec pedigree vendues à prix d'or.

*

Et puisque nous en sommes aux confidences, aux aveux les plus fous, cachée derrière mes phrases qui me servent de bouclier dans ce confessionnal des extrêmes, je ne peux omettre de soulever le problème crucial que pose la peine de mort.

Dieu que j'ai été contre !

Hurlant avec les loups, signant pétitions, méprisant ceux qui avaient l'audace de soutenir cet acte infâme, cette abominable parodie qui menait à la peine capitale des êtres qui ne la méritaient peut-être pas. Les Rosenberg, passés à la chaise électrique en 1953, m'ont marquée au fer rouge de la honte, me faisant haïr tout ce qui était américain pendant de longues années.

En 1981 est arrivé Badinter, avec lui l'abolition définitive de ce martyre. Ouf ! Merci !

Oui, mais... j'ai changé d'avis. Hélas !

Car depuis tout a dégénéré, jamais crimes aussi odieux n'ont été perpétrés sur des enfants, des jeunes filles, des vieillards. Les peines à perpette sont réduites pour bonne conduite, on laisse se balader des meurtriers qui remettent ça allègrement, après tout pourquoi se gêner puisqu'ils ont déjà écopé du maximum ? Les mutineries n'en finissant plus de mettre les prisons à feu et à sang, on s'évade par hélico, on tire sur les gardiens, on se fait la belle et on cavale, ruinant tout sur son passage.

Non ! On devrait rétablir la peine de mort pour les cas les plus ignobles. La peur de la mort pourrait faire réfléchir ceux qui n'hésitent pas à tuer des innocents.

Seuls les imbéciles ne changent pas d'avis.

XXX

*D*oucement, presque tendrement, cette lourde journée faisait miraculeusement place à un début de crépuscule, qu'il fût des Dieux ou des hommes !

Elle tournoyait lentement sur elle-même, en sens inverse de cette Terre qui d'est en ouest portait parure éclatante d'une luminosité exacerbée qui s'en allait, petit à petit, se fondre dans l'horizon incandescent, prélude de nuit. Tout semblait s'alléger comme au seuil d'une agonie qui dépouille du superflu.

Allait-elle rire ou pleurer, chanter ou prier, à l'automne de cette journée qui, enfin, s'en allait laisser place à une nuit attendue, à une nuit porteuse pour elle de tout ce qui lui était refusé dans cette douloureuse lumière implacable qu'elle supportait si mal.

Elle eut un immense besoin d'aimer, d'aimer afin d'oublier, d'aimer pour élever son âme, son corps, son esprit au-dessus de toutes les vicissitudes de l'existence, pour se fondre d'amour dans ce que la nature avait de plus pur, de plus absolu, de plus inaccessible. Elle aima, par bouffées de passion, par ses yeux, par ses mains, ses cheveux, sa peau, elle aima par tous les pores de sa peau, elle respira l'amour, le dégusta, l'avala, l'engendra, elle donnait et recevait au rythme lent des battements de son cœur.

L'amour est en nous, l'amour était en elle.

Et elle était amour en cette fin de journée d'été.

Elle eût voulu pouvoir mettre des noms et des visages sur cette boulimie qui la submergeait. Mais elle ne le pouvait. L'amour qu'elle irradiait se bloquait subitement s'il se heurtait à une forme humaine. Mise à part la présence allégorique et immatérielle de son compagnon dont elle ne subissait qu'une aléatoire et intemporelle vision, tels les funiculaires qui se croisent indéfiniment sans jamais se côtoyer, telles ces parallèles qui suivent la même direction sans jamais se rencontrer sauf parfois dans les calculs de l'Infini, tels ces êtres qui ont choisi d'épargner leurs solitudes en les vivant chacun pour soi mais ensemble après avoir surmonté les épreuves insurmontables de la vie commune.

À part lui, qui était son meilleur et son pire, elle ne supportait plus aucune présence.

Alors son amour partait au gré des ondes, porté par les vagues de cette mer à laquelle elle se confiait, comme une bouteille porteuse d'un joli message que rien ni personne ne saurait retrouver.

Elle pensait à tous ces humains qui, à cette heure sublime où le soleil rejoignait l'horizon, dardant ses ultimes rayons en feux subjuguants de beauté silencieuse, qui entassés en troupeaux sur les terrasses des bars à la mode, ne pensaient qu'à l'organisation d'une soirée mondaine chez Untel, rêvant d'être invités sur le yacht le plus «people» du port, draguant d'avance le top model le plus tendance, buvant champagne et daïquiri. Agglutinés les uns sur les autres, malodorants de sueur ou de parfums factices, métros tropéziens aux heures de pointe.

Tous ces milliardaires et leurs suites la répugnaient. Elle les connaissait bien, les ayant côtoyés et les ayant fuis. L'argent protège de tout, l'argent est un paravent, un bouclier, une armure contre tout ce qui ne s'achète pas. Les riches forment une espèce de mafia imperméable à tout ce qui ne fait pas partie de leur cercle, de leur secte. Il est de bon ton de donner des soirées médiatiques où toute la jet-set se retrouve pour lutter contre le sida, contre la faim dans le monde, contre l'enfance malheureuse, contre la myopathie. On organise alors des dîners super «Hupch-Much» où tout un agglomérat de célébrités se regroupent autour de menus somptueux où caviar, foie gras et autres denrées luxueuses sont arrosées des vins les plus précieux, du champagne le plus rare, de spiritueux uniques. Tout ce petit monde, paré de bijoux hors de prix, habillé par les couturiers les plus médiatisés et coiffé par les plus habiles des Figaros modernes, trempant dans un luxe écœurant, semble donner et croit donner à ceux qui crèvent de misère et de douleur.

Cet atroce cocktail lui avait toujours paru scandaleux.

Elle avait toujours refusé ce mélange de luxe et de misère qui lui paraissait le comble de l'immoralité.

Ces dons médiatisés qui font la une des journaux à la mode, ces gestes sans état d'âme dictés par le «mondainement correct» lui paraissaient d'une indifférence glacée, réunion d'arbres de Noël décorés, pour bonne conscience achetée par presse interposée.

Elle savait par expérience que toute cette richesse superflue était insensible à toute détresse. Par contre le cœur profond se trouvait chez ceux qui étaient matériellement démunis. Les plus généreux, ceux qui se saignaient aux quatre veines pour venir en aide aux animaux, mais aussi à ceux qui, encore plus pauvres qu'eux, vivaient en enfer. C'était une catégorie de Français faisant partie d'une classe d'en bas, de gens simples, d'êtres de cœur! À ceux-là, elle pensait avec amour, elle eût voulu dire sa tendresse, sa reconnaissance.

Bizarre comme le fric brise la générosité.

Comme la générosité peut venir d'un cœur désargenté.

«Tout ce que tu donnes t'appartient à jamais.

Tout ce que tu gardes pour toi est perdu pour toujours.»

Qui a dit ça? C'est tellement vrai!

Réussir sa vie, était-ce amasser des fortunes qu'il serait impossible de dépenser même en faisant les pires folies?

Comme l'avait dit un cordonnier italien avec sagesse: «On ne peut se mettre plusieurs costumes à la fois sur le dos, alors pourquoi bourrer ses placards de vêtements qu'on ne portera peut-être jamais?»

Réussir sa vie, était-ce devenir célèbre ?
Être adulé, reconnu, harcelé ? Être maître d'un certain pouvoir mis au service de son propre nombril ? Briller jusqu'à l'extinction des feux ? La gloire est éphémère, la chute irrévocable !

Réussir sa vie, était-ce se fondre dans la nature, partager le territoire d'animaux condamnés par les Hommes ? Aller se perdre dans les cercles polaires, loin de toute civilisation, privé de tout confort, maître d'un territoire glacé et vierge de toute vie végétale ou animale ?

Réussir sa vie, était-ce se dévouer à Dieu, lui donner le meilleur et le pire de nous-mêmes, en abdiquant tout désir, toute pulsion, toute passion ? Cloîtrant nos corps et nos esprits dans des limites étriquées mais protectrices, œillères spirituelles d'un aléatoire parcours salvateur ?

Réussir sa vie, était-ce la beauté à tout prix, le superflu artificiel, le remodelage d'un visage, d'un corps, l'image figée d'un esthétisme chirurgical ne laissant aucune émotion altérer une perfection glaciale ? Où était-ce laisser la vie, le temps, les joies, les peines, les années inscrire en hiéroglyphes les épreuves sur le satin d'une peau fragilisée et malléable, livre ouvert à ceux qui sauront y déceler un parcours unique ?
Était-ce aimer à en perdre la raison, se donner corps et âme à celui ou celle qui par ses yeux nous renverra l'image de nous-mêmes que nous attendons ?

Puiser en l'autre la sève de la vie, alchimie mystérieuse qui permet d'acquérir une force, un pouvoir
qui s'apparentent au surnaturel. Union de deux
pôles formant un tout d'une puissance magique,
entrelacs corporel et spirituel, extraordinaire fusion
flamboyante des énergies décuplées par la passion,
mais que la vie déchirera en lambeaux lamentables
ou transformera en médiocrité d'habitudes !

Réussir sa vie, était-ce ne compter que sur soi-
même, se soustraire à jamais d'une dépendance,
apprendre la solitude, ne plus souffrir de déceptions
infligées par les autres, ne plus se disperser, ne faire
don de sa présence qu'à bon escient, savoir se taire,
écouter ce qui en vaut la peine, regarder et voir en
profondeur ce qui le mérite.

Devenir sage.

Ou alors se jeter à corps perdu dans la totale abné-
gation de soi au profit de causes humanitaires, se
dévouer à la misère, la détresse, la souffrance, la
maladie, la mort. Donner sa vie pour soulager ceux
qui portent les plaies les plus rebutantes, les plus
profondes. On ne parle ni des Téléthons, ni des
dîners mondains mais d'un véritable sacerdoce, d'un
choix, comme Mère Térésa ou Sœur Emmanuelle,
comme le Père De Foucauld et tant d'autres ano-
nymes qui trouvent un sens à leur vie en prenant en
charge les plus oubliés.

Réussir sa vie peut être aussi réussir dans la vie,
choisir un métier artistique auquel on donnera le
meilleur de soi-même, apportant aux autres le rêve,

le mystère, l'inaccessible en interprétant, en jouant, en chantant, en sculptant, en peignant, en dessinant, en dansant, en écrivant. Donnant vie à l'imaginaire, portant l'irréel, tributaire des modes, jouant avec le feu son avenir aléatoire.

Questions sans réponses, chacun ayant son libre arbitre, chacun menant sa barque dans le sens le plus approprié au but recherché !

La pleine lune blafarde, dans un ciel encore lumineux, commençait lentement son parcours, chassant inexorablement les feux furieux d'un soleil vaincu. L'un et l'autre se mesuraient par horizons interposés. Elle observait le fascinant phénomène de cet astre froid et implacable qui faisait chavirer la puissance et la majesté de l'incandescence dans les flots sanglants d'une mer ébouillantée.

La magie du *Concerto pour deux violons* de Bach envahit l'air du temps, sublime par son adagio mesuré sur la respiration d'une femme endormie. Fermant les yeux, elle rythma son souffle sur ce chef-d'œuvre, se laissant bercer, envoûtée par cette magnificence grandiose et si douce qui transfigurait le monde à l'image de Dieu.

La Madrague
17 janvier 2003

DU MÊME AUTEUR

Noonoah, le petit phoque blanc
(avec Daniel Dollfuss)
Éditions Grasset, 1978

Initiales B.B.
Éditions Grasset, 1996

Le Carré de Pluton
Éditions Grasset, 1999

FONDATION BRIGITTE BARDOT

reconnue d'utilité publique par décret du 21 février 1992
45, rue Vineuse - 75116 Paris
Tél : 01 45 05 14 60 - Fax : 01 45 05 14 80
www.fondationbrigittebardot.fr

Impression réalisée sur CAMERON par

BUSSIÈRE CAMEDAN IMPRIMERIES

GROUPE CPI

à Saint-Amand-Montrond (Cher)
pour le compte des Éditions du Rocher
en juillet 2003

Éditions du Rocher
28, rue Comte-Félix-Gastaldi
Monaco

Dépôt légal : juillet 2003
N° d'Édition : CNE section commerce et industrie Monaco 19023
N° d'Impression : 033247/1.

Imprimé en France